Geografía

Sexto grado

Geografía. Sexto grado **fue desarrollado por la Dirección General de Materiales Educativos (DGME),**
de la Subsecretaría de Educación Básica, Secretaría de Educación Pública.

Secretaría de Educación Pública
Alonso Lujambio Irazábal

Subsecretaría de Educación Básica
José Fernando González Sánchez

Dirección General de Materiales Educativos
María Edith Bernáldez Reyes

Coordinación técnico-pedagógica
María Cristina Martínez Mercado
Ana Lilia Romero Vázquez
Alexis González Dulzaides

Autores
Sheridan González Martínez
María de Lourdes Romero Ocampo
María Alejandra Acosta García
Luis Reza Reyes

Revisión técnico-pedagógica
Ana Flores Montañez
Edith Vázquez Zacarías
Tania Vanesa Eunice Sánchez Vázquez
Elizabeth Sánchez Santos

Asesores
Lourdes Amaro Moreno
Leticia María de los Ángeles González Arredondo
Óscar Palacios Ceballos

Coordinación editorial
Dirección Editorial, DGME/SEP
Alejandro Portilla de Buen

Producción editorial
Martín Aguilar Gallegos

Diseño y formación
Magali Gallegos Vázquez

Investigación iconográfica
Diana Mayén Pérez
Armando Alvarado

Portada
Diseño de colección: Carlos Palleiro
Ilustración de portada: Julián Cicero

Primera edición, 2010

Segunda edición, 2011 (ciclo escolar 2011-2012)

D.R. © Secretaría de Educación Pública, 2011
Argentina 28, Centro,
06020, México, D.F.

ISBN: 978-607-469-677-6

Impreso en México

DISTRIBUCIÓN GRATUITA-PROHIBIDA SU VENTA

Agradecimientos

La Secretaría de Educación Pública agradece a los más de 40 284 maestros y maestras, a las autoridades educativas de todo el país, al Sindicato Nacional de Trabajadores de la Educación, a expertos académicos, a los Coordinadores Estatales de Asesoría y Seguimiento para la Articulación de la Educación Básica, a los Coordinadores Estatales de Asesoría y Seguimiento para la Reforma de la Educación Primaria, a monitores, asesores y docentes de escuelas normales, por colaborar en la revisión de las diferentes versiones de los libros de texto llevada a cabo durante las Jornadas Nacionales y Estatales de Exploración de los Materiales Educativos y las Reuniones Regionales realizadas en 2008 y 2009. Así como a la Dirección General de Desarrollo Curricular, a la Dirección General de Educación Indígena y a la Dirección General de Desarrollo de la Gestión e Innovación Educativa.

La SEP extiende un especial agradecimiento a la Organización de Estados Iberoamericanos para la Educación, la Ciencia y la Cultura (OEI), por su participación en el desarrollo de esta edición.

También se agradece el apoyo de las siguientes instituciones: Universidad Autónoma Metropolitana, Universidad Nacional Autónoma de México, Centro de Educación y Capacitación para el Desarrollo Sustentable de la Secretaría del Medio Ambiente y Recursos Naturales, Secretaría del Trabajo y Previsión Social, Ministerio de Educación de la República de Cuba. Asimismo, la Secretaría de Educación Pública extiende su agradecimiento a todas aquellas personas e instituciones que de manera directa e indirecta contribuyeron a la realización del presente libro de texto.

PRESENTACIÓN

La Secretaría de Educación Pública, en el marco de la Reforma Integral de la Educación Básica, plantea un nuevo enfoque de libros de texto que hace énfasis tanto en el trabajo como en las actividades de los alumnos para el desarrollo de las competencias básicas para la vida. Este enfoque incorpora como apoyo Tecnologías de la Información y Comunicación (TIC), materiales y equipamientos audiovisuales e informáticos que, junto con las bibliotecas de aula y escolares, enriquecen el conocimiento en las escuelas mexicanas.

Este libro de texto integra estrategias innovadoras para el trabajo en el aula, demandando competencias docentes que aprovechan distintas fuentes de información, uso intensivo de la tecnología, comprensión de las herramientas y los lenguajes que niños y jóvenes utilizan en la sociedad del conocimiento. Al mismo tiempo, se busca que los estudiantes adquieran habilidades para aprender por su cuenta y que los padres de familia valoren y acompañen el cambio hacia la escuela mexicana del futuro.

La elaboración de este libro es el resultado de una serie de acciones de colaboración con múltiples actores, como la Alianza por la Calidad de la Educación, asociaciones de padres de familia, investigadores del campo de la educación, organismos evaluadores, maestros y colaboradores de diversas disciplinas, así como expertos en diseño y edición. Todos ellos han enriquecido el contenido de este libro desde distintas plataformas y a través de su experiencia, asimismo, la Secretaría de Educación Pública les extiende un sentido agradecimiento por el compromiso demostrado con cada niño residente en el territorio mexicano y con aquellos que se encuentran fuera de él.

Secretaría de Educación Pública

CONOCE TU LIBRO

Este libro de texto está integrado por cinco bloques con cuatro lecciones cada uno. Te ofrece una amplia gama de conocimientos geográficos y la posibilidad de entender, de manera sencilla, el lugar donde vives y el mundo que te rodea, con el fin de que reconozcas los elementos geográficos que lo conforman. Asimismo valorarás la importancia de su conservación.

Cada lección inicia con un correo electrónico escrito por niños como tú, cuya finalidad es introducirte al tema que estudiarás.

Comencemos
En esta sección identificarás qué tanto sabes sobre el contenido de la lección y el aprendizaje que adquirirás.

Orienta respecto al aprendizaje que se desarrolla en cada lección.

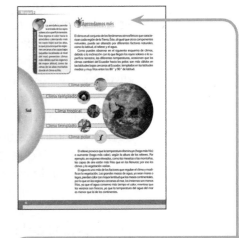

Aprendamos más
Aquí desarrollarás los temas de la lección con el propósito de que construyas nuevos conocimientos, enriquezcas los que has obtenido, y desarrolles nuevas habilidades y actitudes.

Apliquemos lo aprendido
Es la guía práctica para aplicar lo aprendido en la lección.

Al final de cada bloque evaluarás tu aprendizaje mediante tres secciones:

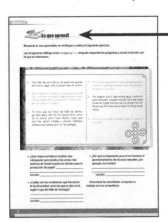

Lo que aprendí. Es una actividad que integra los contenidos de las lecciones del bloque.

Mis logros y Autoevaluación. Son dos ejercicios para valorar tu nivel de aprendizaje y reflexionar sobre su utilidad en la vida cotidiana, así como para evaluar qué aspectos necesitas mejorar.

Tu proyecto. Es una lección al final del libro de texto que contiene una actividad para identificar y analizar alguna problemática a nivel mundial vista en tu localidad.

Al realizar este proyecto tendrás la oportunidad de recuperar y aplicar lo aprendido en el año escolar.

En las últimas páginas encontrarás un Anexo con mapas. Con este material realizarás algunas actividades.

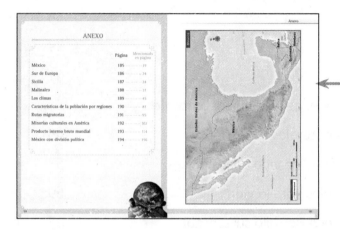

Además encontrarás varias secciones que complementan tu estudio de la geografía como:

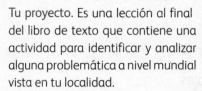

Un dato interesante
Es información importante o curiosa acerca del tema que se estudia.

Consulta en...
Son sugerencias para buscar información interesante y complementaria en distintas fuentes documentales, como Habilidades digitales para todos, Internet y la Biblioteca Escolar.

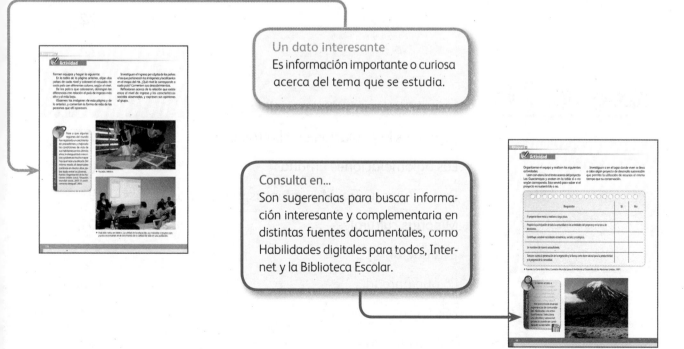

ÍNDICE

BLOQUE 1

El estudio de la Tierra

Divisadero, Barrancas del cobre, Chihuahua, México.

Recibidos

Redactar

| Archivar | Marcar como | Eliminar | Mover a | Etiquetar |

Recibidos
Enviados
Borradores
Eliminados
Plantillas

¡Hola, Magali!

¿Cómo te va? Me dio mucho gusto conocerte, visitar tu país y viajar contigo. Aprendí cosas increíbles sobre tu cultura y tradiciones. No imaginaba que pudiera haber tanta diversidad de regiones naturales y sociales en el pequeño trayecto que recorrimos desde las sabanas de Oaxaca hasta la selva de Belice, sin olvidar los bosques de las sierras de Chiapas y Veracruz.

¡Uy! ¡Qué fantástico! Pasamos por varios estados, cruzamos fronteras y regiones distintas! ☺

Saludos desde Argentina, bajo un lindo atardecer.

Ana

↩ Responder ➜ Reenviar

REGIONES CONTINENTALES

❖ Con el estudio de esta lección identificarás diversas divisiones continentales de la Tierra.

Comencemos

Lee el correo electrónico anterior y con un compañero identifica las distintas regiones (de vegetación, relieve o división política) que menciona Ana y escríbelas en tu cuaderno.

¿De qué forma se puede dividir un continente considerando los elementos que anotaste?

Exploremos

Reúnete con un compañero y observen en el siguiente mapa, las regiones continentales en las que la Tierra se divide físicamente. Anoten en éste los nombres de los continentes, que aprendieron en quinto grado.

Al terminar, comenten en grupo: ¿a qué se debe la diferencia entre las divisiones continentales? ¿Qué separa a un continente de otro? ¿Se podría subdividir a un continente?, ¿qué criterios utilizarían?

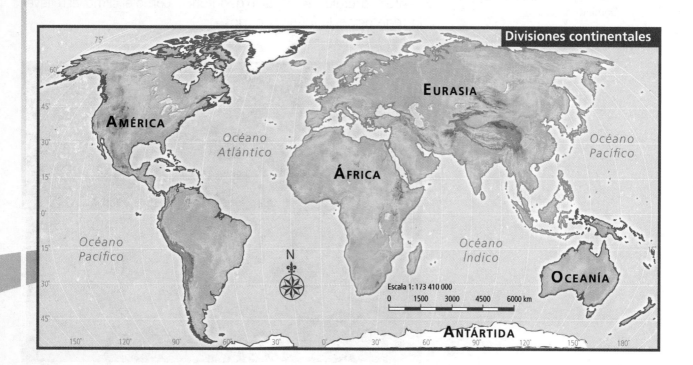

Divisiones continentales

◈ La vegetación es uno de los principales componentes que delimita las regiones, esta división es útil en el estudio de los ecosistemas. Frontera de Haití (arriba) República Dominicana (abajo).

Aprendamos más

Así como dividimos el planeta en hemisferios y países, podemos dividirlo en continentes y éstos en regiones, es decir, en superficies de terreno con condiciones naturales o sociales semejantes. Las regiones son una forma de estudiar y comprender el espacio geográfico.

La forma como organizamos el espacio geográfico

Al observar la Tierra desde el espacio, destacan porciones rocosas que sobresalen del océano; el conjunto de estas proporciones se conoce como superficie continental. Como observaste en el mapa de la página 11, dicha superficie no es continua, se encuentra separada por los mares y océanos.

Cada continente se divide en porciones más pequeñas llamadas regiones, cuya localización y extensión dependen de las características naturales o sociales de cada área.

Regiones naturales continentales

Las regiones naturales continentales son extensiones que se delimitan considerando la distribución y la diversidad de los componentes naturales del espacio geográfico, como el clima, el relieve, la vegetación, la fauna o los ríos.

◈ Foto aérea de la frontera México-Estados Unidos.

Actividad

En parejas, busquen en el *Atlas de México* o *Atlas de Geografía Universal*, los mapas que muestren distintas divisiones regionales en México o en el mundo, de acuerdo con los componentes naturales que constituyen el espacio geográfico.

Hagan un listado en su cuaderno con los componentes naturales que incluye cada una de las divisiones regionales que encontraron.

Como viste, existen elementos naturales del espacio geográfico que han dado lugar a divisiones de distintas formas y tamaños. La distribución y extensión de éstas dependen de la manera como se relacionan los elementos que la conforman. Por ejemplo, la distribución de la vegetación se encuentra sujeta a factores como el relieve, el clima y los cuerpos de agua.

Regiones sociales continentales

Así como podemos identificar diversas regiones naturales en el planeta, es posible dividir cada continente en regiones sociales, que cambian a lo largo del tiempo, para su estudio.

Las regiones sociales continentales toman en cuenta componentes como la cultura, la economía y la política. Algunos ejemplos son las regiones culturales de Mesoamérica, las regiones económicas del Tratado de Libre Comercio y la Unión Europea.

Observa los mapas en la siguiente página e identifica los elementos que determinaron la regionalización.

◈ Las fronteras político-económicas se muestran de distintas formas, por ejemplo, al norte de nuestro país, el gobierno de Estados Unidos ha construido una cerca que llega hasta el Océano Pacífico.

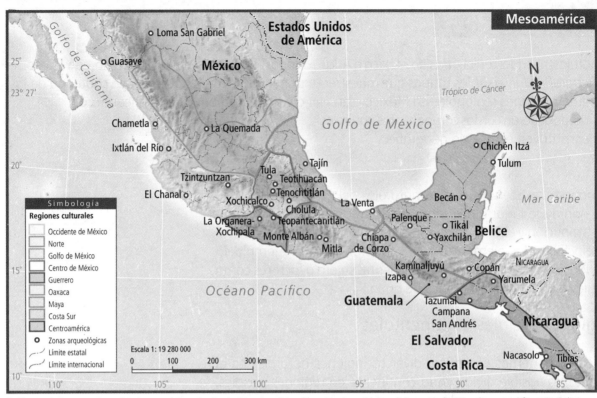

Mesoamérica

◆ En América, por ejemplo, dentro del territorio de Mesoamérica, los mayas tenían tradiciones, religión y lengua diferentes a los Olmecas, esto determinó que conformaran regiones diferentes.

América

Países que integran la Unión Europea

◆ Las regiones económicas se definen a partir de acuerdos e intercambios comerciales entre países, sin olvidar el tipo de economía o el grado de desarrollo socioeconómico.

◆ En América, hoy en día se identifican dos grandes regiones: América anglosajona o Norteamérica y Latinoamérica.

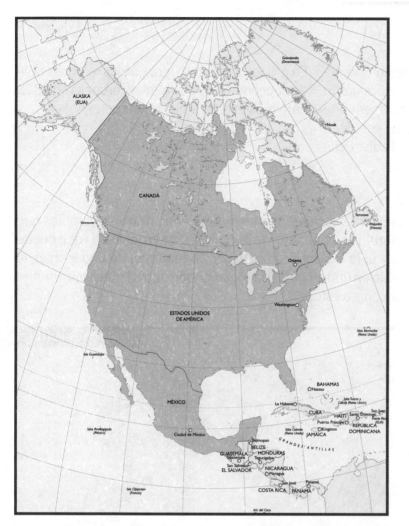

✦ **Consulta en...**
Puedes consultar en HDT el interactivo: ¿De dónde soy? para identificar diversas divisiones continentales de la Tierra.
HDT

❖ El Tratado de Libre Comercio de América del Norte, firmado por México, Estados Unidos y Canadá, es un documento que forma una región económica.

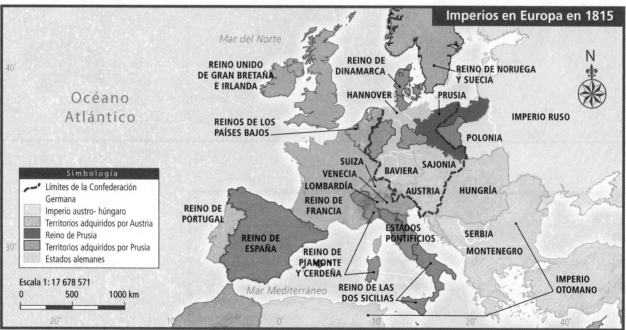

❖ La división política actual es el resultado de procesos históricos que involucran cambios políticos, económicos y sociales. En Europa, antes de la Primera Guerra Mundial, el límite de los territorios de cada imperio marcaba diferencias culturales y económicas.

Exploremos

En parejas, comparen el mapa de Europa actual que se encuentra en el *Atlas de Geografía Universal*, página 56, y el mapa de Imperios de Europa en 1815, de la página 15 de este libro de texto. Anoten en el cuaderno los países que no existían hace casi dos siglos.

En grupo, comenten: ¿por qué las regiones políticas, económicas y culturales europeas en 1815 eran más extensas que las actuales?

Las regiones sociales continentales tienen mayores cambios que las naturales, dependen de la dinámica de la población que puede provocar la expansión o contracción territorial de una lengua, el cambio en una religión o la modificación en los límites territoriales de un país o estado.

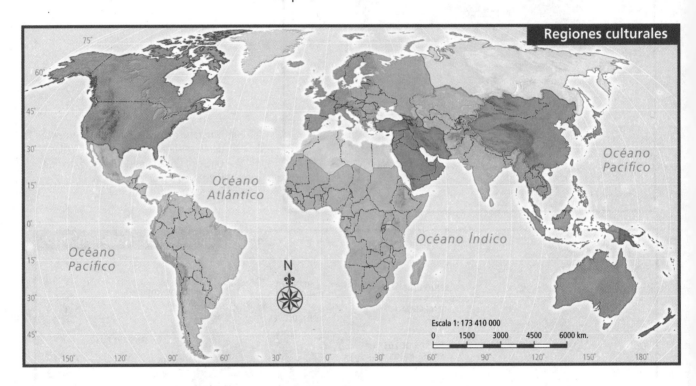

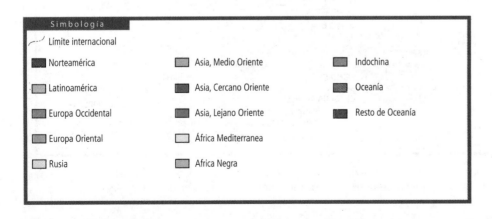

Apliquemos lo aprendido

En equipos y con orientación de su maestro elijan un continente.

1. Localicen en los siguientes mapas del *Atlas de Geografía Universal*: Los climas, página 43; División política, páginas 54-59; Religiones, página 63; Lenguas, página 65; Bloques económicos, página 78, y en este libro de texto, el mapa de Regiones culturales, de la página anterior.
2. Anoten en su cuaderno las diferentes regiones que hay en su continente en cada uno de los mapas, pueden usar un cuadro como el siguiente:

Continente:					
Regiones climáticas	Número de regiones políticas (países o naciones)	Regiones religiosas	Regiones lingüísticas	Regiones culturales	Regiones o bloques económicos

3. Una vez que terminen de completar el cuadro, comenten en grupo: ¿para qué utilizarían la información de las diferentes regiones localizadas en su continente?

❖ Algunos sitios de regiones culturales, como la maya, han sido declarados patrimonio de la humanidad, es el caso de Tikal, Guatemala.

Las regiones de los continentes más lejanos a nosotros o que participan menos en el comercio mundial son menos conocidas; sin embargo, gracias a los mapas y a otras fuentes de información, como textos e imágenes de libros, revistas o videos, puedes conocer su cultura y condiciones naturales, como los lugares de patrimonio mundial de la humanidad.

Los mapas te permiten representar regiones de interés a diferentes escalas, como en el caso de los que observaste en esta lección y estudiarás en la siguiente.

❖ En el Caribe, las tribus practican la santería y utilizan vestidos de diferentes colores emulando a sus ídolos. Estas manifestaciones culturales dan un sello particular a cada lugar y región.

Recibidos

Redactar

| Archivar | Marcar como | Eliminar | Mover a | Etiquetar |

Recibidos
Enviados
Borradores
Eliminados
Plantillas

¡Hola, Milka!

Te mando un saludo desde Coro, no recuerdo si ya te había dicho que es la capital de mi estado, Falcón, en Venezuela. Bueno, estoy feliz aunque te dejaré de escribir por unos días porque haré un viaje con mis compañeros de la escuela. Visitaremos algunos de los 25 municipios que dividen a mi estado.

Estoy a cargo de una comisión muy entretenida: la búsqueda en Internet de los mapas que nos pueden servir para trazar la ruta del viaje, también para ver cómo es Falcón y luego compararlo con otros estados de Venezuela.

Pero mi investigación no termina ahí, ¡debo cotejar mi país con otros de la región amazónica! Los criterios son: extensión, características naturales, población, etcétera. ¡Ah, casi lo olvido! En el mapa del municipio debo localizar el lugar en el que vivo.

¡Estoy muy entusiasmada porque, al igual que a ti, me gusta saber de otros lugares y países! ☺

Te enviaré fotos.
Chao
Mónica

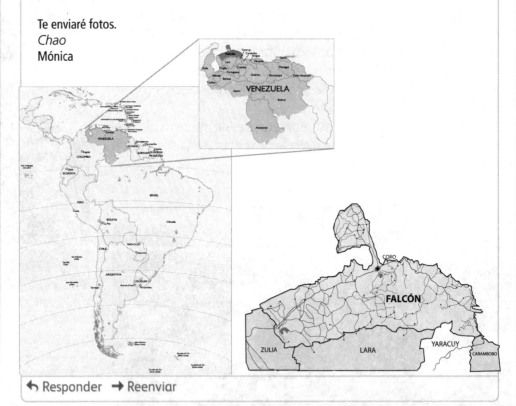

↩ Responder   ➡ Reenviar

EL TERRITORIO Y SUS ESCALAS

❖ Con el estudio de esta lección describirás las diferencias entre mapas de escala mundial, continental, nacional, estatal y municipal.

Comencemos

Para representar el espacio geográfico, cercano o lejano, se utilizan diferentes escalas de estudio. Ayuda a Mónica con la identificación de algunas del ellas en los mapas que se muestran en el correo y escribe la escala de estudio que consideres que tiene cada mapa.

Actividad

Salgan al patio. En el suelo tracen un esquema como el que se muestra a continuación, después, distribúyanse en las diferentes escalas.

Una vez colocados en los distintos círculos, elijan a un compañero para que mencione en voz alta los siguientes elementos geográficos: caminos vecinales, regiones naturales de Veracruz, aeropuertos, ciudades más pobladas de Europa, puertos de Venezuela, capitales y zona arqueológica de Paquimé, Chihuahua.

Los alumnos de un mismo círculo se toman de las manos y brincan al mismo tiempo cuando se mencione el elemento geográfico que pueden encontrar en la escala que representan. Pueden consultarse entre ellos antes de dar el brinco.

Si los alumnos de más de un círculo brincan al mencionarse un elemento, comenten en el grupo por qué esa información puede representarse en más de una escala y decidan cuál es la más adecuada.

Al final del juego, contesten entre todos: ¿cuál escala abarca a todas las demás?

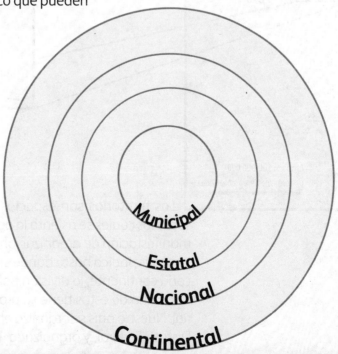

Municipal
Estatal
Nacional
Continental

❖ Consulta en...

Puedes consultar en HDT, en el interactivo: "Mapa del mundo", la división política de los contienentes.

HDT

Aprendamos más

En el planisferio y en los mapas continentales, como el de América, se representa reducida la extensión territorial de los países a diferencia de los mapas nacionales o territoriales. En un mapa territorial, como el de México o Venezuela, la porción terrestre mostrada corresponde a cada país, por eso es más grande.

Exploremos

Consulta el mapa mundial de la página 62 de tu *Atlas de Geografía Universal* y trata de localizar la ciudad de Caracas, en Venezuela, y en México, el estado donde vives.

Reúnete con un compañero y comenten las dificultades que tienen para ubicarlos. Luego, observa los mapas de Venezuela y América del Sur, que están a continuación, y realiza lo siguiente:

• Calca en un papel semitransparente el recuadro que abarca Venezuela en el mapa de Sudamérica.

• Coloca el recuadro que calcaste sobre el mapa de Venezuela y calcula de manera aproximada cuántas veces cabe uno en otro y contesta: ¿por qué el territorio venezolano se ve más reducido en el mapa de Sudamérica?

• Después, elabora una lista en tu cuaderno con las diferencias que observas entre uno y otro mapa, coméntalas en grupo.

Los territorios son espacios con una extensión determinada sobre los cuales se asienta la población. La división política es una manifestación de organización social, que marca los límites de un territorio; indica hasta dónde se extiende un país o una nación. En cada continente, la división política delimita el área de los países. Cada uno de éstos tiene su propia forma de organización territorial. Nuestro país se organiza en estados, éstos en municipios y un Distrito Federal, y organizado 16 delegaciones.

La escala en los mapas

Un mapa es una imagen reducida de la Tierra, en la cual es posible representar el espacio geográfico, desde el más cercano como tu municipio con escala grande, hasta el más lejano como el continente a escala pequeña. La escala indica cuántas veces se ha reducido la superficie que se representa en un mapa. Puedes encontrar dos tipos de escala: numérica o gráfica.

La escala numérica se representa así:

Escala: 1:10 000 000

Se lee de esta manera:

Escala: 1 a 10 millones

Si la unidad de medida del mapa es el centímetro, entonces se interpreta así: 1 cm es igual a 10 000 000 cm.

Esto quiere decir que para un mapa con esa escala, cada centímetro que medimos equivale a 10 millones de centímetros en la realidad.

Identifica la escala en los mapas regional y nacional de Venezuela que observaste en la página anterior.

La escala gráfica es una regla que te permite medir en centímetros, la distancia entre dos lugares dentro de un mapa e indica a cuántos kilómetros equivale esa distancia en la realidad.

◈ Herramientas cartografícas italianas. Con éstas se trazaban los mapas antes de que la tecnología auxiliara a los cartógrafos.

Sureste de México

Golfo de México

⊕ Mérida
Yucatán
⊕ Campeche   Quintana Roo
Chetumal ⊕
Campeche
Tabasco
⊕ Villahermosa   México   Belice
⊕ Belmopan
Guatemala   Mar Caribe
⊕ Tuxtla Gutiérrez
Chiapas

Simbología
⊕ Capital estatal
⊕ Capital nacional
Límite estatal
Límite internacional

Guatemala ⊕   Honduras

Escala 1: 10 000 000

Noroeste de México

Mexicali ⊕
Baja California   Estados Unidos de América

México

Sonora
⊕ Hermosillo

Baja California Sur
Golfo de California

Océano Pacífico

23° 27' Trópico de Cáncer   La Paz ⊕

Simbología
⊕ Capital
Límite estatal
Límite internacional

Escala 1: 10 000 000
0   100   200   300 km

Exploremos

Observa los mapas de las páginas 56 y 62 del *Atlas de Geografía Universal* y realiza las siguientes actividades.

En equipo, identifiquen las escalas gráficas que se muestran en esos mapas, con lápiz y regla marquen y midan, en ambos mapas, la distancia que hay entre la ciudad de Madrid, España, y la ciudad de París, Francia. Según la escala gráfica de uno y otro mapa, ¿cuántos kilómetros hay entre ambas capitales?

Registren la información en una tabla como la siguiente, comenten los resultados con los otros equipos y obtengan conclusiones.

Mapa	Escala de estudio	Centímetros de distancia en el mapa	Distancia real
División política de Europa	Continental		
Distribución de la población			

La representación de un país que aparece en un mapa puede ser más pequeña o más grande, depende de la escala, pero el tamaño real siempre es el mismo.

❖ Herramientas cartográficas italianas que servían para trazar mapas.

Por lo general, los mapas de escala pequeña muestran menos rasgos geográficos que aquellos de escala grande, pero cubren amplias porciones de la Tierra. Estos mapas no son adecuados para exponer los detalles geográficos porque los ríos y carreteras se representan como líneas, y las ciudades como puntos. En los mapas mundiales, continentales y regionales o nacionales, se utilizan escalas pequeñas; en mapas estatales, municipales o planos urbanos se usan escalas grandes.

Los mapas elaborados con escalas grandes permiten identificar ciertos elementos que por su tamaño no podrían estar representados en un mapa de pequeña escala. Este tipo de mapas son un acercamiento de la región que se quiere ver, por lo que permiten mostrar los detalles (carreteras, ríos e incluso las calles de localidades urbanas o rurales) con mayor precisión, a diferencia de los mapas de escala pequeña.

❖ **Consulta en...**
Para saber más acerca de tu entiad y municipio, con ayuda de tu maestro, busca en la mapoteca digital del sitio "Cuéntame", en la dirección http://cuentame.inegi.gob.mx, y en tu *Atlas de México,* en las secciones "Medio físico", "Infraestructura", "Sociedad" y "Entidades federativas".

◈ En 1689 el cartógrafo holandés Gerard van Schagen elaboró este planisferio. Las medidas originales son 48.3 X 56 centímetros.

Apliquemos lo aprendido

Observa los mapas del sur de Europa y Sicilia (revisa en el Anexo las páginas 186 y 187). Reúnete con un compañero y contesten en su cuaderno:

- ¿Qué información proporciona el mapa del sur de Europa que se muestra en una escala pequeña?
- ¿Y uno a escala grande, como el mapa de Sicilia, al sur de Italia?

Anota en la siguiente tabla "sí" o "no" en los elementos que puedes identificar en cada mapa; es decir, marca los elementos geográficos.

Elementos geográficos	Con escala pequeña	Con escala grande
Países		
Capitales		
Localidades urbanas		
Ríos		
Carreteras		
Volcanes		

En tu *Atlas de México*, localiza el mapa de tu entidad y elabora en tu cuaderno una tabla como la siguiente:

Entidad	Tipo de escala (nacional, estatal y municipal)	Características del mapa: elementos del mapa y elementos geográficos representados

En grupo comenten las diferencias entre los mapas a distintas escalas y el uso de cada uno.

Si quieren representar las calles y construcciones del lugar en el que viven, en los mapas anteriores no las podrían localizar, requerirían de un plano. Para elaborarlo, en la siguiente lección estudiarán sus características.

BUSCAR

Redactar

Archivar   Marcar como   Eliminar   Mover a   Etiquetar

Recibidos
Enviados
Borradores
Eliminados
Plantillas

Saludos, Luis, ¿cómo te va? ¿Sabes?, encontré en mi maleta el plano de la Ciudad de México y la guía de la red del metro que conseguí en mis vacaciones, cuando estuve de visita en el DF. ¡Ambos fueron de gran ayuda para localizar los lugares turísticos!

¿Te acuerdas cómo nos sirvieron para calcular las distancias, los tiempos aproximados, y para decidir la ruta por la cual llegaríamos a nuestro destino? ¡Qué aventura cuando tomamos el metro en dirección contraria! ☹

Cuando llegué a casa mostré los mapas a mi familia y le conté a mi primo sobre los parques, museos y las casas de tus familiares que visitamos. Cuando vengas para acá en las próximas vacaciones te mostraré el plano de mi localidad, aunque te prometo que no es tan complicado recorrerla. Es un lugar tranquilo donde podemos llegar a pie a muchos sitios y playas.

En fin, te mando un abrazo y una fotografía desde Zihuatanejo, Guerrero.

Toño

↩ Responder   → Reenviar

LOS PLANOS Y SUS ELEMENTOS

Comencemos

❖ Con el estudio de esta lección interpretarás planos a partir de sus elementos.

Para obtener información de cómo llegar a un lugar, puedes usar un plano al igual que Luis y Toño, los dos amigos mencionados en el correo anterior. Comenta con algún compañero si has utilizado algún plano del lugar donde vives o de otro sitio, o quizás elaboraste alguno. Comparte para qué lo utilizaste.

Exploremos

Observa la escala gráfica del mapa de México en el Anexo de tu libro de texto, página 194 y contesta las siguientes preguntas:

- ¿A cuántos kilómetros equivale cada centímetro?
- ¿En qué punto cardinal se localiza Guerrero?
- ¿Entre qué coordenadas geográficas se localiza Guerrero?

En un mapa de escala nacional como el que acabas de revisar, es imposible encontrar con exactitud la zona turística de la ciudad de Zihuatanejo. Observa el plano sigiente y comenta en grupo cómo utilizarías el mapa o el plano de México para localizar una zona turística.

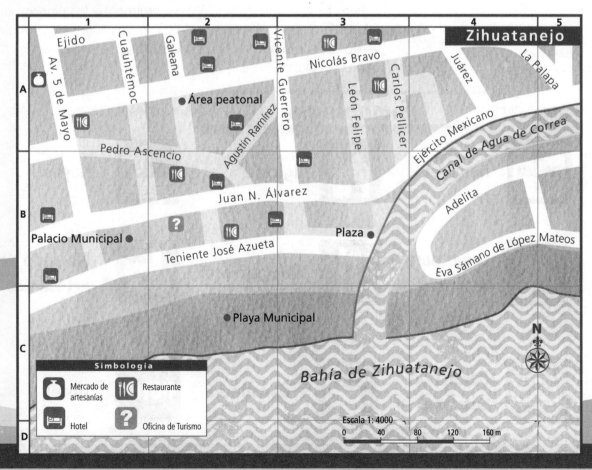

Aprendamos más

Un dato interesante

En México, el Instituto Nacional de Estadística y Geografía (Inegi) es el organismo encargado de recopilar, organizar y difundir la información geográfica y estadística del país.

Aprendamos más

Cuando vas por primera vez a la casa de un amigo es común que te indiquen ciertos puntos de referencia: la escuela, un jardín, un kiosco o una cancha de futbol. Sin embargo, para alguien que no conoce el lugar es probable que estas referencias no resulten suficientes para localizar el lugar al que desea llegar, de modo que necesitará un plano. En los planos se representan los lugares y las construcciones con líneas; con ellos es posible conocer algunos detalles precisos como el trazado de las calles, la ubicación de los parques, las carreteras o las vías del ferrocarril.

Los planos

Los planos son la representación de una ciudad vista desde arriba, como si volaras sobre ella. Desde esa perspectiva se puede observar el trazado de las calles y las manzanas, así como algunos lugares de interés, monumentos, construcciones de valor artístico y museos.

Los planos ofrecen una descripción detallada de los elementos que los conforman, además utilizan colores, símbolos y dibujos para distinguirlos. Los puntos cardinales —Norte, Sur, Este y Oeste— se indican en el plano y orientan la dirección en la que debemos desplazarnos.

Para facilitar la localización, generalmente, los planos tienen dibujada una cuadrícula de referencia. Las líneas horizontales y verticales combinan números y letras que se anotan en los márgenes del plano.

◆ Los planos utilizan simbología específica para señalar la localización de lugares de interés público.

Simbología

➕ Hospital	⛪ Iglesia	🌴 Playas
⛺ Lugar para acampar	🍴 Restaurante	🏺 Mercado de artesanías
🚌 Parada de autobús	⛽ Gasolinera	HOTEL Hotel

Actividad

Observa el plano de la ciudad de Florencia, Italia, ubicado en la parte inferior de esta página. Con colores rodea sus elementos: nombre, simbología, escala, orientación y coordenadas. Luego, en equipo, lean el plano y anoten en su cuaderno la información que obtengan a partir de las siguientes indicaciones y preguntas:

- Localicen en las coordenadas cartesianas (7, G), la Plaza Miguel Ángel (Piazzale Michel Angelo). Usando los puntos cardinales y los nombres de las calles, ¿qué indicaciones le darían a una persona para trasladarse de la Plaza Miguel Ángel a la estación de trenes, en la Plaza de la Estación (Pza. de la Stazione).

Un turista desea visitar el museo que está dentro del único Palacio (Palazzo), localizado al sur del río Arno. ¿En qué coordenadas cartesianas se localiza ese museo?

Si caminas en línea recta del río Arno a la Plaza del Domo (Pza. del Duomo), ¿cuántas cuadras son? Calculen con la escala gráfica del plano a cuántos metros corresponde esa distancia.

- ¿Cómo identificaste las principales iglesias del centro de Florencia? ¿con qué símbolo se identifican los hospitales?

Comenten las ventajas de contar con un plano de la ciudad, además de la de localizar lugares interesantes.

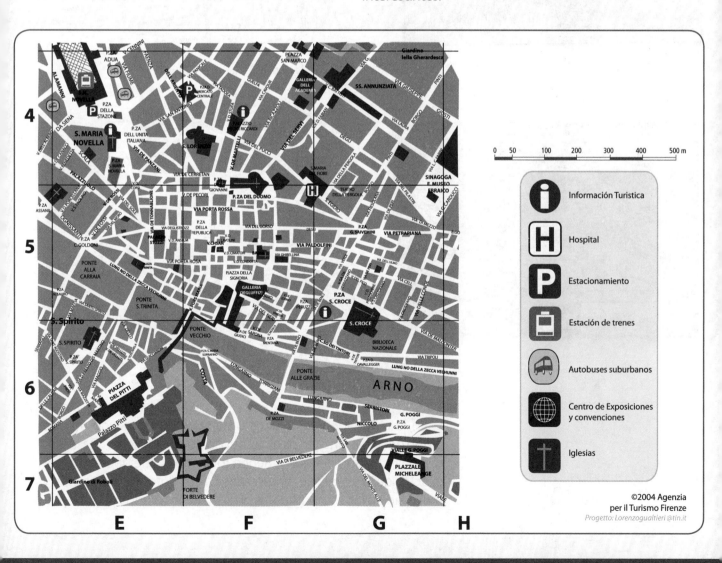

©2004 Agenzia
per il Turismo Firenze
Progetto: Lorenzogualtieri @tin.it

Los planos urbanos son representaciones de ciudades, tienen además un valor histórico porque se registran en las diferentes épocas de una ciudad, de modo que son una herramienta útil para saber cómo se ha transformado ese lugar a lo largo del tiempo.

❖ Plano de la Ciudad de México en 1858.

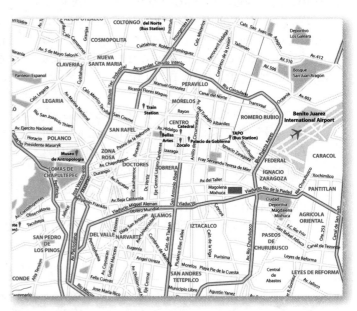

❖ Plano de la Ciudad de México en 2010.

❖ Plano de Roma en el siglo XVI.

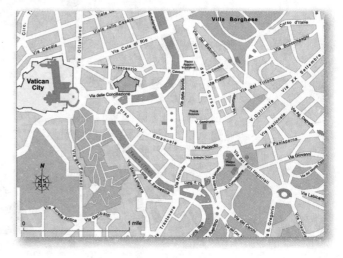

❖ Plano de Roma en 2010.

En la actualidad, los planos urbanos han alcanzado un alto grado de precisión gracias al desarrollo de la tecnología. Desde los aviones y los satélites se obtienen fotografías que aportan datos exactos de la superficie representada. Esos datos se almacenan y procesan en las computadoras para trazar los planos y los mapas.

Apliquemos lo aprendido

Luis, un niño que vive en Malinalco, encontró este documento de su ciudad. Obsérvalo en el Anexo página 188, ¿es o no un plano?

❖ Malinalco, Estado de México.

El primo de Luis está de visita y quiere conocer la ciudad. Ayuda a Luis a organizar un recorrido por los lugares más interesantes de Malinalco.

Considera que Luis calculó un recorrido no mayor a un kilómetro y medio, porque su primo necesita muletas para caminar.

Sobre el plano, anoten la letra correspondiente a las indicaciones de cada lugar que se describe y la distancia recorrida.

Luis vive en el barrio de Santa María, así que decidió comenzar por visitar la capilla de Santa María, que se localiza sobre la calle Juárez. A partir de ese punto comenzó a elegir los lugares a visitar.

a) Ex convento del siglo XVI.
Distancia recorrida: 380 m
Indicaciones para llegar: Caminar por la calle Juárez rumbo al norte hasta cruzar la calle de Galeana e identificar el ex convento.
b) Pinturas murales del palacio municipal.
Distancia recorrida: 130 m
Indicaciones para llegar: Continuar al norte por la calle Juárez, cruzar la calle Hidalgo y detenerse en la presidencia municipal.
c) Taller y exposición de artesanía.
Distancia recorrida: 120 m. Indicaciones para llegar: Salir a la calle Hidalgo para continuar con dirección al oeste y encontrar la Casa de la Cultura.

d) Zona arqueológica y museo universitario.
Distancia recorrida: 250 m
Indicaciones para llegar: Salir a la calle Hidalgo hacia el oeste hasta topar con pared. Continuar al sur, cruzar la calle Guerrero y continuar hasta Amajac. Seguir al oeste para llegar a la zona arqueológica y al museo.

- ¿Cuál fue la distancia total recorrida?

  _____.

- Si su primo decide sólo ir de la capilla de Santa María a la plaza, ¿qué elemento del plano necesita para saber la distancia?

  _____.

- Calculen la longitud del trayecto y anótenla:

  _____.

Comenta con tus compañeros qué elementos le faltaron al plano e intégrenlos. Compara tu opinión inicial acerca de si es un plano o no.

Consigan un plano de la delegación o municipio y planeen uno o más recorridos por su colonia, barrio o localidad. Durante el recorrido, ubiquen los lugares que consideren interesantes y localícenlos en su plano.

Reflexionen en grupo: ¿qué otra información se puede obtener de un plano, además de la localización de diferentes lugares de interés?

Recibidos

Redactar

Archivar | Marcar como | Eliminar | Mover a | Etiquetar

Recibidos
Enviados
Borradores
Eliminados
Plantillas

Hola, primo, ya de regreso en Paraguay.

¡Por fin puedo escribirte desde la compu de la escuela! Viendo las fotos que me enviaste, disfruto otra vez de las fabulosas vacaciones de verano que pasé en Uruguay. Nuevamente, gracias por invitarme.

Ahora estoy de vuelta en la escuela. Les platiqué a mis compañeros de mi viaje a la ciudad de Montevideo y de la enorme playa de Pocitos.

¡Qué crees!, la maestra sacó un mapa político de Uruguay para localizar Montevideo, después vimos en la computadora una fotografía aérea de la playa de Pocitos, y luego una imagen satelital de Uruguay y parte de Argentina. Nos dice que hay sitios en Internet que permiten ver hasta las casas de una calle, pero sólo de algunas ciudades, sobre todo en países con más tecnología. ¡Te imaginas que podamos ver la puerta del edificio donde vives y las palmeras gigantes de la rambla!

Es una gran idea usar la tecnología para hacernos divertida la localización de lugares, ¿no te parece?

Te mando una fotografía aérea de Montevideo.
Seguimos en contacto a través del correo electrónico.
Saludos. ☺

Bruno

↩ Responder → Reenviar

NUEVAS FORMAS DE VER EL ESPACIO GEOGRÁFICO

❖ Con el estudio de esta lección distinguirás las características y la utilidad de las fotografías aéreas, imágenes de satélite y mapas digitales.

Comencemos

Al igual que Bruno, en esta lección descubrirás otros recursos para obtener información geográfica. Escribe en tu cuaderno qué recursos has utilizado para este tipo de búsqueda.

Actividad

Observa la imagen que envió Bruno y compárala con el mapa y la imagen satelital que se muestran a continuación.

Anota en tu cuaderno las diferencias que encuentras entre un mapa, la fotografía área y la imagen satelital de Sudamérica.

Bruno considera que las nuevas tecnologías geográficas sirven para hacer divertida la localización, ¿para qué más pueden ser útiles? Escribe en tu cuaderno la respuesta porque volverás a usarla al término de la lección.

❖ Mapa de Sudamérica elaborado en 1630 por Jodocus Horidus, discípulo de Mercator.

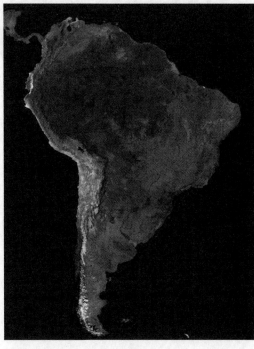

❖ Imagen satelital de Sudamérica.

❖ Consulta en...

Puedes consultar las características y la utilidad de las fotografías aéreas, imágenes de satélite y mapas digitales, en HDT, en el interactivo-Shockwave: "Mundo en capas".

HDT

Aprendamos más

Desde tiempos remotos, el ser humano ha buscado formas de registrar su paso por los lugares donde ha estado. Algunos trazaron itinerarios en barro o madera, otros dibujaron croquis o mapas con representaciones decorativas, mapas más exactos a partir de proyecciones, hasta llegar a la elaboración de los mapas por computadora.

Algunas de estas representaciones ya las conoces y las has utilizado: los mapas y los planos. Otro tipo de registro son las fotografías e imágenes de la superficie de la Tierra que se captan desde aviones y satélites, gracias a las cuales ha sido posible ampliar la información geográfica y la visión que tenemos de la Tierra.

Las fotografías aéreas son una fuente de información importante, ya que muestran numerosos detalles con gran nitidez; captan áreas pequeñas o de mayor tamaño conforme aumenta la altura desde la que se toman. Sin embargo, para extensiones más grandes de la superficie terrestre, se requieren de varias tomas.

Las imágenes satelitales abarcan espacios mayores que las fotografías aéreas, debido a la distancia a la que se captura la información. Con los avances de la tecnología, numerosos satélites giran alrededor de la Tierra y captan las radiaciones que ésta emite.

La información capturada por los sensores satelitales se almacena en un procesador y se envía a la Tierra, los datos se reciben para obtener imágenes que proporcionan información valiosa de las áreas representadas.

La imagen satelital ha cambiado la forma de ver el espacio geográfico, desde la computadora es posible observarlo como si estuvieras volando e imaginar que viajas a cualquier lugar del mundo sin transporte ni equipaje.

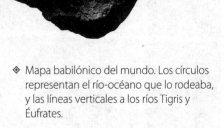

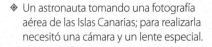

❖ Mapa babilónico del mundo. Los círculos representan el río-océano que lo rodeaba, y las líneas verticales a los ríos Tigris y Éufrates.

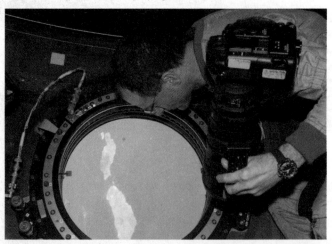

❖ Un astronauta tomando una fotografía aérea de las Islas Canarias; para realizarla necesitó una cámara y un lente especial.

Actividad

Organícense en equipos y con el apoyo de su maestro realicen las siguientes actividades:

Recorten una tarjeta de cartoncillo negro de 10 x 15 cm. En el centro de la tarjeta, recorten un cuadrado de 3 cm por lado. Observen a través de él la imagen que se presenta a continuación.

Coloquen su tarjeta a diferentes alturas de la imagen: primero, pónganla encima de la página; luego aléjenla 10 cm, después a 20 cm y finalmente a 30 cm.

Describan lo que logran ver de la imagen desde cada una de las alturas. De acuerdo con lo que observaron en esta actividad, comenten en grupo: ¿cuál de las distancias en que situaron su tarjeta podría representar una fotografía aérea y cuál una imagen satelital?

◈ Fotografía aérea de Tokio, Japón.

La tecnología al alcance de todos

Otra forma de emplear la información satelital es el sistema de posicionamiento global (GPS, por sus siglas en inglés). Este sistema permite localizar cualquier lugar en la Tierra. Funciona con 24 satélites que giran alrededor del planeta enviando señales a los aparatos llamados receptores GPS. Éstos, al recibir la información, calculan las coordenadas geográficas del lugar de donde provienen.

Actividad

Investiga en un periódico o revista el nombre de algún aparato que contenga un receptor GPS y cuál es su utilidad.

En grupo, comenten si es importante un GPS y para qué lo utilizarían.

❖ Un receptor de GPS determina las coordenadas geográficas de cualquier lugar de la superficie terrestre, incluso localiza objetos fijos o en movimiento.

Décadas atrás resultaba complicado detectar fuentes de recursos naturales o identificar riesgos, pues era necesario consultar la información en diferentes mapas y a varias escalas. Actualmente, por medio de los Sistemas de Información Geográfica (SIG) es posible aproximarse a muchos lugares a través de grandes escalas que permiten, incluso, captar calles, monumentos, ríos o volcanes.

Los SIG pueden mostrar la información en capas con diferentes temas que se sobreponen en un mapa base, este tipo de tecnología es muy útil para desarrollar los diferentes tipos de análisis y hacer las proyecciones necesarias para prevenir situaciones de riesgo.

❖ El SIG permite al geógrafo sobreponer diferentes capas de información de una región, lo que ayuda a prevenir desastres naturales.

Apliquemos lo aprendido

En parejas, identifiquen los países europeos cuyo riesgo de inundación es mayor. Consulten una de las siguientes fuentes: el mapa dinámico de *Encarta*, la página de Internet Google Earth, o bien, elaboren su propio sistema de sobreposición de capas.

Calquen el mapa de regiones naturales de Europa de su *Atlas de Geografía Universal*, página 49. Pongan el papel calcado sobre el mapa de ríos y lagos del mismo continente, que está en la página 36.

Localicen y dibujen sobre su mapa de regiones naturales, los países que se incluyen en la tabla. Consulten la división política de Europa en la página 56 de su *Atlas de Geografía Universal*.

En la tabla de abajo señalen los elementos de riesgo de los países anotados. Marquen con una X las características de la primera columna que identifiquen en cada país.

A mayor número de X, es decir, características identificadas, el país estará en mayor riesgo de sufrir inundaciones.

En grupo y con la orientación de su maestro, anoten en el pizarrón los países de Europa que corren más riesgo de sufrir estos percances.

Propongan en grupo algunos planes generales de prevención, tomando en cuenta las características que aparecen en la tabla y comenten en qué lugar les gustaría vivir de acuerdo con la información que analizaron.

Características	Austria	Suiza	Francia	Bélgica	Países Bajos	Dinamarca	Alemania	Polonia	República Checa
Regiones de bosque templado con lluvias todo el año									
Regiones con relieve de llanuras costeras									
Regiones con ciudades urbanas cercanas a los ríos									
Regiones con lagos cercanos a las ciudades									
Regiones con ciudades cercanas a las costas									

El avance de las tecnologías de información geográfica ha permitido conocer mejor las características de nuestro planeta; sin embargo, no hemos podido avanzar con el mismo ritmo en la prevención del deterioro ambiental y de las desigualdades sociales. Reflexiona e imagina cómo podemos utilizar la tecnología para mejorar el ambiente y la convivencia social.

Lo que aprendí

Lo que aprendí

◈ Templo de Chaumukha, en Ranakpur, India.

Recuerda lo que aprendiste en este bloque y realiza el siguiente ejercicio.

Mario pertenece al coro escolar y ganó un viaje a Jaipur, India, para participar en un coro internacional. A su regreso, sus amigos y familiares querían saber sobre el país que visitó y su experiencia durante el viaje. Ayúdalo a platicar su experiencia.

- ¿Qué tipo de mapa tendrá que utilizar para mostrarles en qué parte del mundo se localiza la India?
- ¿Qué tipo de representación utilizaría para ubicar los lugares exactos donde se hospedó?
- ¿Qué recurso tecnológico utilizaría para mostrar el relieve, los ríos y las zonas de inundación que le permitieran realizar acercamientos hasta la desembocadura de los ríos?

Al terminar las actividades comparte tu trabajo con tus compañeros.

◈ Ofrenda en el río Ganges, en Deepak, India.

◈ Hombre indio vendiendo especias en la calle.

En la ciudad de Roma, Italia, se hicieron estudios para determinar la altura de las construcciones; es decir, obtener la información básica necesaria para tomar medidas de prevención contra las consecuencias de los terremotos. Observa las siguientes imágenes y con los datos obtenidos resuelve las preguntas de la siguiente página.

a) Roma, Italia.

b) Italia.

1. Son características que diferencian las fotografías aéreas de la imagen satelital y de los planos:

   a) Incluye elementos cartográficos básicos como la escala, la orientación y las coordenadas geográficas.
   b) Muestra detalles con gran nitidez y se requiere de varias tomas para abarcar grandes extensiones.
   c) Abarca el trazado de calles principales, avenidas, construcciones de valor artístico y monumentos importantes.
   d) Proporciona información con gran detalle de extensas áreas de la Tierra en una sola imagen.

2. En la imagen de satélite se observan elementos del espacio que en un mapa no se retoman, por ejemplo:

   a) La forma del relieve y los caminos rurales.
   b) La distribución y altura de las construcciones.
   c) La forma del litoral y los caminos rurales.
   d) La distribución de las ciudades y las playas.

3. Para ubicar la ciudad de Roma en la imagen satelital, se necesitaría:

   a) Una escala continental más detallada.
   b) Una simbología más detallada.
   c) Un mapa de división política.
   d) Un plano con coordenadas.

4. Son regiones definidas por criterios culturales:

   a) México, Venezuela, Francia, China, Australia.
   b) América, África, Oceanía y la Antártida.
   c) Europa Occidental, Medio Oriente, Sureste asiático.
   d) Latinoamérica, África, Canadá y la Unión Europea.

5. Menciona los elementos que nos permiten calcular las distancias y saber la la superficie que abarca una zona de interés:

   a) Proyección cartográfica y escala.
   b) Coordenadas geográficas y simbología.
   c) Escala y simbología.
   d) Rosa de los vientos y escala.

6. Son las tecnologías que generan y manejan información geográfica:

   a) Satélites artificiales, sistemas de cómputo y mapas digitales.
   b) Globos terráqueos, planos y tablas estadísticas.
   c) Gráficas, mapas digitales y satélites artificiales.
   d) Fotografías aéreas, tablas estadísticas y gráficas en tercera dimensión.

Es tiempo de que evalúes lo que has aprendido en este bloque. Lee cada enunciado y marca con una palomita (✓) el nivel que hayas alcanzado.

Aspectos a evaluar	Lo hago bien	Lo hago con dificultad	Necesito ayuda para hacerlo
Identifico las diferentes divisiones de los continentes y las represento en mapas.			
Interpreto mapas de escala mundial, continental, nacional, estatal y municipal.			
Interpreto la información de un plano con el apoyo de sus elementos.			
Localizo lugares de interés en planos.			
Distingo las características de las fotografías aéreas e imágenes de satélite.			
Reconozco la utilidad de las fotografías aéreas e imágenes de satélite.			

Escribe una situación en la que apliques lo que aprendiste, hiciste e investigaste en este bloque.

_____

_____

Aspectos a evaluar	Siempre	Lo hago a veces	Difícilmente lo hago
Adquiero conciencia del espacio geográfico donde vivo.			
Valoro la utilidad de las imágenes digitales y fotografías aéreas para generar información geográfica.			
Reconozco la iportancia de los mapas y planos para ubicarme en el espacio geográfico.			

Me propongo mejorar en: _____

BLOQUE II

La naturaleza y el desarrollo sustentable

Oaxaca, México.

Recibidos

Redactar

Archivar   Marcar como   Eliminar   Mover a   Etiquetar

Recibidos
Enviados
Borradores
Eliminados
Plantillas

¡Hola, Dane!

Aprovecho que estoy revisando mi correo para saludarte, ¿cómo te ha ido? ¿Cuánto más ha bajado la temperatura en Copenhague? Aquí en Pisco, Perú, hace algo de calor, la temperatura registró 30 ° C. ☺

Como te platiqué, el clima en mi ciudad es seco, casi no llueve, pero al Este de Perú, todo es diferente, es tropical, llueve mucho, hay una región selvática con gran variedad de aves, monos y plantas.

En las próximas semanas iremos a Puerto Maldonado para convivir un poco con la selva, daremos un paseo por el río. ¡No te imaginas el hermoso paisaje de árboles gigantes en las orillas y el alboroto de los animales!

Ahora, platícame cómo es el clima del lugar en que vives.

Saludos, seguimos en contacto.

Martín

↩ Responder → Reenviar

COMPONENTES NATURALES DE LA TIERRA

❖ Con el estudio de esta lección explicarás la relación entre relieve, agua, climas, vegetación y fauna.

Comencemos

Martín describió en su correo algunos elementos de las regiones naturales de Perú. Observa las imágenes que envía Martín a su amiga, describe los elementos que las conforman y comenta con tu grupo en qué regiones naturales las puedes localizar.

Actividad

Para localizar un lugar o región en la superficie terrestre, se utilizan las coordenadas geográficas como la latitud y la longitud. Localiza las regiones climáticas en el mapa que se encuentra en el Anexo de tu libro, página 189, y realiza lo que se pide a continuación:

- Identifica qué climas existen entre los 60° y 80° de latitud norte.
- Menciona los climas predominantes entre los 40° y 50° de latitud.
- ¿En qué paralelos se localizan los climas tropicales?

Comenta con tus compañeros cómo es un clima tropical y qué tipo de vegetación predomina.

Observen la fotografía de esta página y describan el paisaje que se muestra, así como la ropa que usan las personas que allí viven. ¿Sentirán frío o calor?

En el mapa de climas del Anexo, localicen el país donde está el volcán y comenten: ¿por qué un país localizado en la línea ecuatorial tiene lugares con nieve?

❖ La cumbre más alta de Ecuador, el volcán Chimborazo, alcanza los 6 310 metros de altura, medida desde el nivel del mar.

La atmósfera permite la entrada de los rayos solares a la superficie terrestre. Ésta regresa el calor hacia la atmósfera calentando más las capas bajas que las altas, lo que provoca que las regiones cercanas a las capas bajas (aquellas localizadas al nivel del mar) presenten climas más cálidos que las regiones de mayor altitud, como las cimas de las altas montañas donde el clima es frío.

Aprendamos más

El clima es el conjunto de los fenómenos atmosféricos que caracterizan cada región de la Tierra. Éste, al igual que otros componentes naturales, puede ser alterado por diferentes factores naturales, como la latitud, el relieve y el agua.

Como puedes observar en el siguiente esquema de climas, debido a la inclinación con la que llegan los rayos solares a la superficie terrestre, las diferentes temperaturas, ocasionan que los climas cambien del Ecuador hacia los polos: son más cálidos en las latitudes bajas cercanas al Ecuador, templados en las latitudes medias y muy fríos entre los 80 ° y 90 ° de latitud.

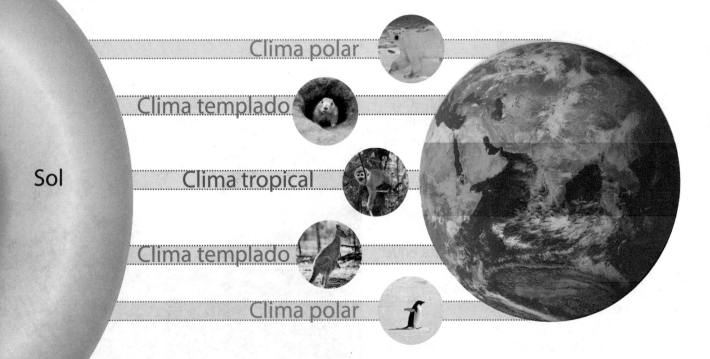

Sol

Clima polar

Clima templado

Clima tropical

Clima templado

Clima polar

El relieve provoca que la temperatura disminuya (haga más frío) o aumente (haga más calor), según la altura de los relieves. Por ejemplo, en regiones elevadas, como las mesetas o las montañas, las capas de aire están más frías que en las llanuras; por eso los climas y la vegetación varían.

El agua es uno más de los factores que regulan el clima y modifican la vegetación. Las grandes masas de agua, ya sean mares o lagos, pierden calor con mayor lentitud que las masas continentales, por lo que en las regiones cercanas al mar, los inviernos son menos fríos, ya que el agua conserva más tiempo el calor; mientras que los veranos son frescos, ya que la temperatura del agua del mar es menor que la de los continentes.

Exploremos

Encuentra la relación que existe entre clima, relieve y regiones naturales. Para ello, realiza lo siguiente:

Sobre un acetato o plástico transparente calca el contorno y las regiones montañosas (en color café) del mapa de América del Sur, página 27 de tu *Atlas de Geografía Universal*.

Luego, colócalo encima del mapa de regiones naturales de América del Sur de la página 48 del *Atlas de Geografía Universal*.

Localiza la cordillera de los Andes y anota en tu cuaderno la región natural que predomina en este tipo de relieve.

Localiza los países cercanos al círculo ecuatorial y que son atravesados por la cordillera de los Andes.

Contesta: ¿qué región natural predomina en Colombia, Ecuador y Perú? Consulta el mapa de la página 55 de tu *Atlas*.

En parejas consulten el mapa de climas de la página 189 del Anexo y localicen las regiones del mundo que tienen climas polares, además de los polos.

Comenta con tu compañero qué tipo de plantas y animales viven en aquel tipo de clima y región natural.

El clima y las regiones naturales

Las regiones naturales son extensiones de territorio que comparten características semejantes: clima, fauna, vegetación, presencia de agua y, a veces, relieve; pueden abarcar parte de un país o de un continente.

El clima es el elemento fundamental para la conformación de las regiones naturales, pues determina el tipo de vegetación y fauna que se desarrollarán, por ejemplo, las plantas que necesitan humedad y calor se desarrollan mejor en las regiones naturales con clima tropical, porque llueve mucho; mientras que las especies aptas para sobrevivir con poca agua, se encuentran en las regiones esteparias y desérticas donde el clima es más seco.

Existen diferentes regiones naturales, como la tundra, el desierto o la estepa, cada una alberga una gran variedad de seres.

❖ En las praderas argentinas (praderas pampeanas), la riqueza del subsuelo, el clima templado y las lluvias abundantes han favorecido el crecimiento de extensas zonas de pastizales.

Exploremos

En equipo y con el apoyo de su maestro, observen las imágenes e identifiquen a qué región corresponde cada una.

Localicen la región a la que pertenece cada fotografía en el mapa de la página 50 y delineen el contorno de acuerdo con el color asignado al pie de cada imagen.

Seleccionen una imagen por equipo y describan su paisaje, tipo de vegetación, relieve y fauna.

Intercambien ideas acerca de otros animales y plantas que por sus características vivan en la región del paisaje seleccionado.

Comenten a los otros equipos las relaciones que encontraron entre el clima, la vegetación y la fauna de esa región natural.

❖ Argelia. Temperaturas de 40 °C en el día y 0 °C en la noche. La región presenta vegetación y lluvia escasas.

❖ Oregon, Estados Unidos. Clima tropical lluvioso con temperaturas superiores a los 27 °C en promedio.

◈ Svalbard, Noruega. El clima es templado con lluvias abundantes y predominan los árboles de hojas caducas.

◈ Alemania. Región de veranos cortos frescos con nevadas el resto del año. El subsuelo helado sólo permite el crecimiento de plantas como musgos y líquenes durante el verano.

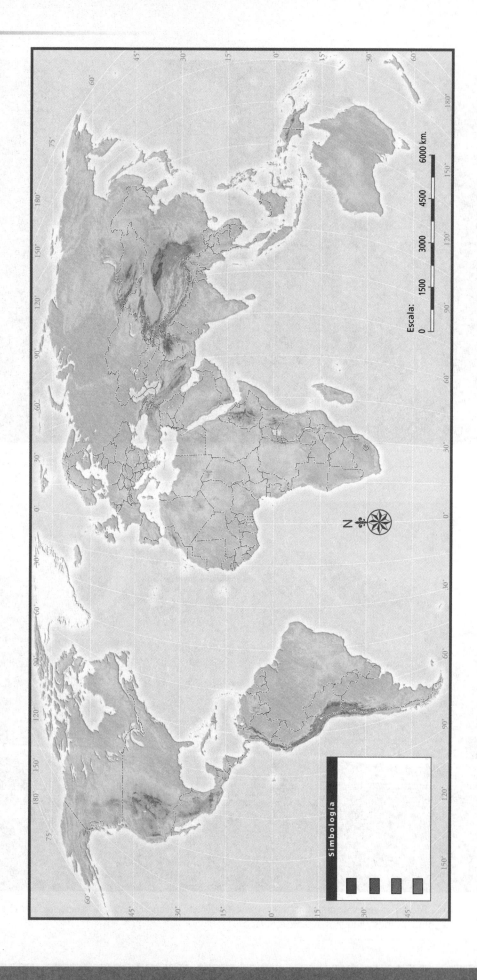

Escala:

0   1500   3000   4500   6000 km.

N

Simbología

Apliquemos lo aprendido

Consulten las páginas 44 a 46 de su *Atlas de Geografía Universal* y en parejas completen la siguiente tabla.

En la primera columna se describen las características de algunas zonas climáticas, en la segunda anoten el nombre de las regiones naturales que corresponden a los climas descritos, y en la tercera dibujen plantas y animales que habitan esas regiones naturales.

Zonas climáticas	Región natural	Vegetación y fauna
Tropicales Desde el Ecuador hacia los trópicos, las temperaturas son superiores a los 27 °C, presentan lluvias todo el año o lluvias en verano.	• Selva • Sabana • Bosque tropical	
Secos Regiones áridas y desérticas registran temperaturas altas de día y bajas en la noche.		
Templados Regiones húmedas con lluvias abundantes durante todo el año.		
Fríos La mayor parte del año presentan temperaturas inferiores a los 10 °C y todo el año tienen lluvias.		
Polares Se localizan cerca de los polos y en las partes altas de las cordilleras y altas montañas. Tienen bajas temperaturas, inviernos largos y veranos cortos.		

En grupo, con el apoyo de su maestro, comenten:

- ¿Qué región natural predomina en el lugar donde viven?
- ¿Cuáles son las características de los componentes naturales que la integran?
- ¿Cómo dichos componentes determinaron el tipo de región de cada lugar?
- ¿Cuál es la importancia de conservar la diversidad de la vegetación y la fauna natural de cada región?

Recibidos

Redactar

Recibidos
Enviados
Borradores
Eliminados
Plantillas

Archivar   Marcar como   Eliminar   Mover a   Etiquetar

¡Hola, María!

Hace un mes que no te escribo porque he andado de un lado a otro. Ahora me encuentro en Costa Rica, en Centroamérica, con mi familia. Éste es uno de los países considerados como megadiversos por su gran variedad de plantas y animales; aunque es pequeño en extensión cuenta con varios climas que van desde los secos en Guanacaste, que pertenece a las tierras bajas, hasta los climas fríos que son típicos de la ciudad de Monteverde, desde donde veo un ave llamada tucancito, mientras te escribo.

Cuando vaya a visitarte a Puebla, ¿qué lugares me recomiendas visitar? ¿Me puedes dar alguna dirección electrónica para saber cuáles son los parques o lugares de tu estado donde hay mucha variedad de plantas y animales? Como sabes, ¡me encanta la naturaleza!

Saludos.

Roxanna

↩ Responder   → Reenviar

RIQUEZA Y VARIEDAD DE VIDA EN LOS PAÍSES

❖ Con el estudio de esta lección identificarás las condiciones naturales que favorecen la biodiversidad en los países megadiversos.

 Comencemos

Así como en Centroamérica donde vive la familia de Roxanna, en cada continente existen distintas condiciones naturales que han originado la diversidad de las especies animales y vegetales. Escribe en tu cuaderno una primera idea de lo que es biodiversidad.

Actividad

Escribe el nombre de las especies de animales y vegetales que conozcas. Recuerda lo aprendido en tus clases de Ciencias Naturales.

En grupo, anoten en el pizarrón el nombre de todas las plantas y animales que registraron, después, unan con líneas las plantas y animales que corresponden a una sola región natural de acuerdo con la siguiente guía de colores:

Selva ●

Sabana o pradera ●

Desierto ●

Bosque templado ●

Tundra ●

Marquen con una palomita aquellas especies que existen en América. Al terminar, contesten las siguientes preguntas:

• ¿De qué región natural identificaron más plantas y animales?

_____

• ¿Faltó anotar el nombre de plantas o animales de alguna región natural?, ¿de cuál?

_____

❖ *Manis* (pangolín). Este mamífero habita en las zonas tropicales de Asia.

Aprendamos más

◆ Reserva forestal, Santa Elena, Costa Rica. Las hojas de las plantas que crecen en los bosques tropicales son grandes para absorber la mayor cantidad de agua.

A la gran diversidad de especies animales y vegetales que existen en el planeta se le conoce como biodiversidad. Ésta es consecuencia de la variedad de condiciones naturales en el espacio geográfico y la evolución de las especies.

Cerca del Ecuador, el clima se caracteriza por lluvias constantes todo el año y temperaturas elevadas que crean un ambiente cálido y húmedo favorable para el crecimiento de las selvas, donde se localizan numerosas especies vegetales y animales.

Al alejarnos del Ecuador, hacia los polos, la lluvia escasea y el clima es más seco. En esta zona desértica se desarrollan especies muy diferentes a las de la selva, por ejemplo, arbustos que en vez de hojas tienen espinas para evitar la pérdida de humedad, y otras que conservan agua en su interior, como las biznagas. En estos ambientes disminuye mucho la variedad de especies vegetales por la falta de humedad.

A latitudes mayores, entre 50° y 60°, aproximadamente, se localizan los bosques de coníferas. Debido a las lluvias abundantes y bajas temperaturas, las hojas de los árboles son delgadas, pero verdes y flexibles, por donde resbalan el agua y la nieve. Esta región natural que se extiende en Europa y América del Norte es de las más estudiadas, por ello se conoce un mayor número de especies.

Menos especies se observan cerca de los polos. Las bajas temperaturas durante el año limitan el crecimiento de plantas y animales que desarrollan mecanismos de sobrevivencia.

Existe una extensa biodiversidad en la Tierra; sin embargo, de los casi 200 países, sólo 12 concentran alrededor de 70% de la biodiversidad del mundo, de ahí que se les llame megadiversos. Esos países son: Brasil, Perú, Ecuador, Colombia, México, Estados Unidos, República Democrática del Congo, Madagascar, Australia, Indonesia, India y China.

Cada modificación del ambiente provoca una variación en la vegetación y fauna, de modo que una región que presente variedad en las condiciones naturales como clima, relieve, tipo de rocas, presencia de ríos, entre otros, será favorable para el desarrollo de una gran variedad de especies vegetales y animales.

◆ Las cactáceas no tienen hojas sino espinas que les ayudan a ahorrar agua.

Exploremos

Junto con un compañero, revisa las páginas 47 y 50 del *Atlas de Geografía Universal* y en el cuaderno respondan:

- ¿Qué regiones naturales en India y México son atravesadas por el Trópico de Cáncer?
- Según lo que han estudiado, ¿por qué ambos países tienen algunas regiones naturales semejantes?

En grupo respondan:

- A la latitud del trópico de Cáncer, ¿qué región natural tiene México que está ausente en India?, ¿sobre qué relieve mexicano se desarrolla esta región natural?

Como pudiste ver, México e India, que están a una distancia semejante del Ecuador, presentan climas cálidos semejantes; sin embargo, las sierras madre que atraviesan el territorio mexicano de norte a sur, por la altura del terreno, enfrían el ambiente y crean un clima templado y frío, donde crecen los bosques templados. Esto genera que exista mayor variedad de plantas y animales en una menor superficie de territorio.

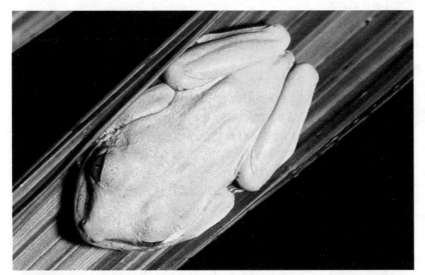

❖ Desde hace 50 años se han descubierto algunas especies de ranas. La rana de Seychelles es un ejemplo.

 Exploremos

Consulta las páginas 47 a 52 de tu *Atlas de Geografía Universal* y en tu cuaderno dibuja la silueta de los países megadiversos. Anota dentro de cada silueta, las regiones naturales que se desarrollan o dibuja un símbolo que las represente.

En grupo, respondan:

- ¿Por qué no existen países megadiversos más allá de los 50° de latitud?
- ¿Por qué es importante cuidar la biodiversidad?

Retoma la idea de biodiversidad que escribiste al inicio de la lección y complétala con lo que has aprendido.

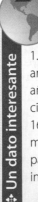

Un dato interesante

Se han descubierto en el mundo entre 1.7 y 2 millones de especies animales y vegetales; cada año las investigaciones científicas descubren entre 16 000 y 17 000 más. Aproximadamente, tres cuartas partes de esas especies son insectos.

Desde hace muchos años, los cambios climáticos, los descensos en el nivel del mar, la intensa actividad volcánica, la destrucción de los ecosistemas y la sobreexplotación de las poblaciones para el consumo y el comercio, han sido las causas principales de la pérdida de la biodiversidad.

La biodiversidad es el resultado de un proceso natural que se ha ido conformando durante millones de años, por lo que debe ser protegida, respetada y preservada. Los seres humanos formamos parte de esta biodiversidad en los ecosistemas.

❖ *Heloderma suspectum* (monstruo de Gila, México).

Actividad

Con la información de la siguiente tabla, elabora en tu cuaderno dos gráficas de barras: una que muestre los cinco países que concentran el mayor número de especies de mamíferos y otra para los reptiles.

País	Número de especies	
	Mamíferos	Reptiles
Australia	sd	783
Brasil	466	500
China	433	sd
Estados Unidos	417	sd
India	sd	450
Indonesia	500	566
México	448	733

sd: sin dato. Únicamente se incluyen los cinco páises con el mayor número de especies en mamíferos y en reptíles.

Analiza las gráficas que elaboraste y en grupo menciona el país que ocupa el primer lugar en:

Reptiles: _____

Mamíferos: _____

¿Qué lugar ocupa México por la variedad de especies de reptiles y de mamíferos?

Organícense en equipos y comenten con sus compañeros y su maestro: ¿qué importancia tiene la biodiversidad para los seres humanos?, ¿cómo podemos ayudar a conservarla? Escriban las conclusiones en su cuaderno y compártanlas con los demás equipos.

❖ Fuente: Semarnat, *¿Y el medio ambiente? Problemas en México y el mundo,* Semarnat, 2007.

México megadiverso

México ocupa uno de los tres primeros lugares mundiales en biodiversidad de reptiles y mamíferos, a pesar de que ocupa sólo 1.3 % de la superficie del planeta.

Apliquemos lo aprendido

En equipos, escojan uno de los países megadiversos y realicen las siguientes actividades:

En una cartulina dibujen el mapa de ese país.

En revistas y periódicos busquen imágenes de animales, plantas y otros recursos naturales propios de ese lugar.

Péguenlas a manera de *collage* en el mapa que dibujaron. Pueden investigar en la biblioteca de su escuela y dibujar algunas especies en su *collage*.

Expongan sus trabajos.

❖ **Consulta en...**

Consulta en HDT los siguientes videos-FLV: "México: conservación de la biodiversidad", "La conservación de la biodiversidad" y "México biodiverso".

HDT

❖ Los océanos, lugares donde surgió la vida, son un ambiente megadiverso, así como la selva; ambos requieren que llevemos acciones a cabo para su preservación.

Redactar

Archivar | Marcar como | Eliminar | Mover a | Etiquetar

Recibidos
Enviados
Borradores
Eliminados
Plantillas

¡Hola, Karla!

¿Te estás mejorando? Te extrañamos hoy en la escuela, ☹ espero que te recuperes pronto.

Te cuento que en la visita al aserradero de Porto Alegre nos enteramos de que éste es uno de los más grandes en Brasil, ya que cuenta con más de mil empleados. Después del aserradero fuimos a la fábrica de muebles de madera, ¡estuvo sensacional! ¡Nos la pasamos muy bien!

No imaginaba todo lo que se puede hacer con los recursos naturales como los árboles y lo importante que son para nuestra vida cotidiana al cubrir nuestras necesidades.

Vimos cómo es el proceso de elaboración de los muebles, desde que traen los árboles, que son la materia prima, hasta la transformación de los mismos en una silla para la escuela. Pero lo sorprendente es la gran cantidad de agua que se emplea en los aserraderos.

De modo que la maestra nos invitó a reflexionar y escribir unas líneas sobre la importancia en la utilización y el uso moderado de los recursos naturales para la vida y los seres humanos. Te comparto las fotos que tomé y si quieres te ayudo con la tarea.

¡Cuídate y toma tus medicamentos!
Te veo pronto. ☺

Milton

↩ Responder → Reenviar

RECURSOS NATURALES PARA LA VIDA

❖ Con el estudio de esta lección explicarás la importancia de los recursos naturales para las actividades humanas.

Comencemos

En el mundo existen diversos recursos naturales que han permitido la satisfacción de las necesidades humanas y el desarrollo de las actividades económicas. ¿Qué actividades económicas identificas en el correo de la visita al aserradero de Porto Alegre?

Actividad

Selecciona dos objetos del salón y en tu cuaderno elabora un esquema como el de abajo.

Escribe los nombres de los objetos; luego, detalla los materiales con que están hechos y los recursos naturales que se utilizaron para la elaboración de los mismos.

En grupo y con el apoyo del maestro, dibujen en el pizarrón una tabla con cuatro columnas e incluyan las siguientes características: los objetos anotados en el esquema, la materia prima con

que están hechos esos objetos, el nombre de los recursos naturales de los que provienen los objetos y el origen del recurso que se utilizó, por ejemplo, vegetal o animal.

Al terminar de completar la tabla, contesten: ¿qué tipo de recursos predomina?

Redacta en tu cuaderno un texto sobre el tipo de actividades económicas que se realizan en el lugar donde vives y menciona los recursos naturales que se aprovechan.

Árboles — Recurso natural

Materia prima — Madera

◆ Un convoy que transporta la madera del aserradero a las fábricas en donde se transforma en productos de consumo. Oregon, Estados Unidos.

Aprendamos más

A lo largo de su historia, el ser humano ha utilizado sus conocimientos del medio natural y las herramientas disponibles para extraer y transformar los elementos de la naturaleza que le sirven para satisfacer sus necesidades. Por ejemplo, desde la antigüedad se emplean las rocas y las lanzas para cazar y obtener comida; el azadón para labrar la tierra, y las hachas para cortar la madera de los árboles y hacer viviendas para protegerse del frío.

Actualmente, en todo el mundo, las personas se dedican a diversas actividades, como la minería, la pesca o el aprovechamiento de los bosques; de estas actividades obtienen recursos naturales (minerales, peces y árboles, respectivamente).

Cuando los elementos naturales son utilizados por el ser humano para cubrir necesidades específicas, se les conoce como recursos naturales; éstos adquieren importancia de acuerdo con el tipo de necesidad que resuelven, por ejemplo, en lugares muy fríos, las pieles de los animales tienen gran valor porque se transforman en prendas de vestir.

Algunos recursos se consumen o utilizan directamente de la naturaleza (es el caso del agua, la energía solar o los frutos de los árboles), pero otros no pueden consumirse de forma directa y deben ser transformados por medio del trabajo del ser humano. A estos recursos transformados se les conoce como materias primas y son empleados para fabricar productos más elaborados: el algodón se peina, hila y teje para elaborar telas; el trigo se muele para obtener harina y producir pan.

Aunque gran parte de los recursos naturales es recuperable después de cierto tiempo, muchas veces éstos se extraen en mayor cantidad de la que la naturaleza puede producirlos, lo que refleja una forma no responsable de extraerlos. Por eso es importante tomar en cuenta el tiempo de recuperación de cada recurso, para no correr el riesgo de que se agote.

◆ La mina de diamantes Argyle es la más impactante y rica en el noroeste de Kimberley, Australia.

Actividad

De acuerdo con la información que acabas de leer, realiza un memorama sobre los recursos naturales.

Haz una lista de 10 recursos naturales y los productos que se obtienen de ellos.

Recorta 20 tarjetas de cartulina o cartoncillo de 6 x 6 cm de lado, dibuja en éstas los recursos naturales y los productos de tu lista, y juega con tus compañeros.

Con la ayuda de tu maestro, comenta a todo el grupo la importancia de los recursos naturales en el lugar donde vives.

El agua es un recurso natural importante para la vida del ser humano y la aprovecha en casi todas sus actividades económicas; por ejemplo, en la agricultura se utiliza para regar los cultivos; en la industria, para producir vapor, enfriar, calentar, limpiar y como disolvente, entre otras aplicaciones.

La principal fuente de consumo humano es el agua dulce, de la cual se estima que sus principales reservas se encuentran congeladas en las regiones polares de la Antártida y en el océano Glacial Ártico. Sin embargo, existen ríos caudalosos más cercanos a los asentamientos humanos y de los cuales se benefician en las comunidades, como el Misisipi-Misuri, en América del Norte; el Orinoco y el Amazonas, en América del Sur, y el Danubio, Tíber, Sena, Rhin y Volga, en el centro y norte de Europa, en cuyos márgenes se desarrollan ciudades importantes, como Roma, París y Moscú.

◈ Estación hidroeléctrica en el río Nériungri, en la República de Sajá, Rusia.

◆ Pozo petrolero en Canadá.

El suelo es otro recurso natural aprovechado por la gente para su sustento. Existen suelos con composición y grosor diferentes, por lo que de acuerdo con sus características se convierten en sustento de diferentes tipos de vegetación que predomina en las selvas, bosques o matorrales. De todos ellos, los suelos más apreciados por el individuo son los que contienen abundante materia orgánica, pues se utilizan en la agricultura; entre éstos destacan las llanuras centrales de Norteamérica, las llanuras rusas y las de Europa central.

Finalmente, los recursos energéticos son aquellas sustancias usadas para producir energía, como el petróleo, el gas, las corrientes de agua y la radiación solar. Esta energía es utilizada como combustible para mover automóviles, aviones o para transformar las materias primas en productos de consumo.

◆ Desembarcando carbón en un puerto en Virginia, Estados Unidos.

 ## Exploremos

En tu *Atlas de Geografía Universal* consulta las gráficas que aparecen en las páginas 69 a 75 sobre productos agrícolas (maíz, arroz y trigo), ganaderos y pesqueros; recursos mineros (hierro, cobre, oro y plata) y recursos energéticos (petróleo y gas).

Organizados en cuatro equipos, elijan un tipo de producción y elaboren un mapa temático.

Analicen en grupo el contenido del mapa que cada equipo elaboró. Identifiquen los cinco países que cuentan con mayor diversidad de

recursos naturales y los países que destacan por su producción de energéticos y hagan una tabla con esos datos.

Para la transformación de los recursos naturales en productos elaborados, se requieren materias primas y energéticos. De acuerdo con esta afirmación y con los datos del mapa temático elaborado, contesta: ¿cuáles son los países con alto desarrollo industrial?

Apliquemos lo aprendido

Organizados en equipo, elaboren en sus cuadernos una lista con los recursos que se utilizan en el lugar donde viven, elijan uno y elaboren un folleto acerca del destino del objeto: desde que se extrae la materia prima de la naturaleza, hasta que se transforma en un producto de consumo. Presenten los folletos al grupo.

❖ Ontario, Canadá. Algunas reservas ecológicas tienen áreas dedicadas a la explotación de los recursos naturales, por ejemplo, árboles.

❖ Refinería en Taiwán.

Recibidos

Redactar

Archivar   Marcar como   Eliminar   Mover a   Etiquetar

Recibidos
Enviados
Borradores
Eliminados
Plantillas

Querida Bety,

Saludos desde Nueva Zelanda, ahora te escribo rodeada de árboles frondosos, debajo de los cuales hay bancas, corriente eléctrica e Internet. Me encuentro en el Parque Nacional de Tongariro, el más antiguo de mi país y el primero en el mundo en convertirse en patrimonio de la humanidad.

En este lugar hay varios programas para conservar el ambiente; por ejemplo, para producir la energía eléctrica se recolecta el agua de los deshielos de los volcanes. También se fomentan las actividades ecoturísticas organizadas por los miembros de la comunidad, quienes a su vez son los encargados del cuidado del parque, así como los organizadores de las excursiones a pie y de montañismo, ciclismo de montaña, cabalgata en el verano y esquí alpino en el invierno.

Bueno, voy a recorrer el parque y pronto te escribiré más sobre mi país como lo prometí. Por cierto, leí sobre un sitio ecoturístico en tu país, se encuentra en Chiapas y se llama Las Guacamayas, hay un hotel y actividades muy interesantes, deberías visitarlo.

Te mando un abrazo.

Sofía

↩ Responder   → Reenviar

ACCIONES PARA EL DESARROLLO SUSTENTABLE

❖ Con el estudio de esta lección explicarás las formas de aprovechamiento de los recursos naturales que contribuyen al desarrollo sustentable.

Comencemos

Lee de nuevo el correo electrónico que envió Sofía, en el cual describe el Parque Nacional de Tongariro. Observa las imágenes que comparte con su amiga y comenta en grupo por qué consideras que el aprovechamiento de éste es sustentable o no.

Actividad

En grupo realicen la lectura en voz alta del texto: "Las Guacamayas, un proyecto sustentable". Expongan sus comentarios al respecto y contesten las siguientes preguntas:

- ¿Cuál fue el propósito principal de la comunidad al establecerse en Chiapas?
- ¿Por qué la comunidad decidió combinar las actividades agropecuarias con proyectos como el centro ecoturístico?
- ¿Qué opinan acerca de la decisión tomada?
- ¿Consideran que la decisión aportó beneficios a la región? ¿Por qué?
- Comparen características similares y marquen las diferencias de los proyectos Las Guacamayas y Tongariro.
- Discutan si en el lugar en donde viven sería posible realizar un proyecto ecológico a partir de los recursos locales.

❖ *Ara chloropterus* (guacamaya roja). Esta especie es particular de América Latina, desde las selvas mexicanas, hasta el norte de Argentina.

◆ Pasillo ecológico del centro "Las Guacamayas".

Las Guacamayas, un proyecto sustentable*

En 1967, cerca de 40 familias oaxaqueñas de origen chinanteco llegaron a Chiapas para formar una nueva población en la selva lacandona. Decididas a conservar la selva, convirtieron 60% del territorio en reserva ecológica y el resto lo dedicaron a actividades agropecuarias; entre ellas una plantación de cacao que no dio resultados positivos. También reforestaron con una planta llamada pita, que crece lentamente. Para el proyecto agrícola se les dotó con un sistema de riego que dejó de funcionar, pues carecían de combustible y de refacciones para echar a andar la bomba. Tampoco tenían caminos ni electricidad y después de 24 años la mayor parte de la comunidad decidió aprovechar los recursos naturales de la región para mejorar su calidad de vida. Con el apoyo de varias organizaciones, decidieron poner en marcha un centro ecoturístico para obtener mayores beneficios económicos afectando lo menos posible a la naturaleza.

Con ese fin se propusieron convertirse en promotores de la conservación del lugar mediante la educación ambiental, la preservación de la selva lacandona y la protección de una de las especies en peligro de extinción: la guacamaya roja.

El centro ecoturístico Las Guacamayas se localiza a 254 kilómetros al sureste de la ciudad de Palenque y al este de la ciudad de Comitán, cerca de Zamora Pico de Oro, que es la cabecera municipal. El Centro cuenta con cabañas, restaurante y un sendero ecológico por el que se puede llegar a un maravilloso aviario para guacamayas rojas. Se trata de una zona selvática ecoturística, que ha fomentado el desarrollo de la comunidad y la conservación de sus animales y plantas.

* "La lucha por el desarrollo sustentable: experiencias en el Centro Ecoturístico Las Guacamayas", Primer congreso internacional de casos exitosos de desarrollo sostenible. Caso presentado por el programa de investigación "Desarrollo humano en Chiapas", UAM, y el centro ecoturístico Las Guacamayas.

Aprendamos más

En 1987, la Comisión Mundial de Medio Ambiente y Desarrollo hizo un análisis de la situación económica, social y ambiental del mundo y demostró que el actual modelo económico estaba destruyendo el ambiente y empeorando el empobrecimiento de cada vez más personas; por ello, era necesario buscar una nueva forma de desarrollo, que le permitiera al ser humano satisfacer sus necesidades sin poner en riesgo los recursos de las futuras generaciones. Este nuevo modelo considera que además del cuidado de los recursos naturales, se requiere de educación, justicia, seguridad, igualdad, en un planeta sin contaminación y con recursos naturales suficientes para vivir plenamente. En este sentido, los recursos naturales son la base para el desarrollo humano, social y económico, de ahí la importancia y urgencia de preservarlos.

❖ Países Bajos. Las granjas autosustentables utilizan los recursos naturales para generar su propia energía.

❖ California, Estados Unidos. Así como hay proyectos que contribuyen a la preservación de los recursos naturales, hay otros en donde la tala inmoderada, el cultivo de un solo producto o el uso de plaguicidas ponen en riesgo los recursos para las generaciones futuras.

Actividad

Organícense en equipo y realicen las siguientes actividades.

Lean con atención el texto acerca del proyecto Las Guacamayas y anoten en la tabla sí o no según corresponda. Esto servirá para saber si el proyecto es sustentable o no.

Investiguen si en el lugar donde viven se lleva a cabo algún proyecto de desarrollo sustentable que permita la utilización de recursos al mismo tiempo que su conservación.

Requisito	Sí	No
El proyecto tiene metas a mediano o largo plazo.		
Propicia la participación de toda la comunidad en las actividades del proyecto y en la toma de decisiones.		
Contribuye a resolver necesidades económicas, sociales y ecológicas.		
Se mantiene de manera autosuficiente.		
Toma en cuenta la preservación de la vegetación y la fauna, como base natural para la productividad y el progreso de la comunidad.		

❖ Fuente: *La Carta de la Tierra*, Comisión Mundial para el Ambiente y Desarrollo de las Naciones Unidas, 1997.

Consulta en...

Si tienes acceso a Internet, visita http//www.conafor:gob.mx/biblioteca/experiencias_forestales_comunidades_mexicanas_trilingual.pdf.

Ahí encontrarás diversas experiencias de comunidades dedicadas a la actividad forestal. Selecciona una de ellas y valora si el proyecto puede ser considerado sustentable.

❖ Volcán inactivo, Monte Ngauruhoe, Nueva Zelanda.

Experiencias internacionales de desarrollo urbano sustentable

Los países de la Unión Europea se han propuesto impulsar el crecimiento de las ciudades con enfoques sustentables. Un ejemplo es la ciudad de Heidelberg, Alemania, que ha puesto en marcha métodos muy eficientes para ahorrar energía. Por ejemplo, la administración pública de la ciudad ha reducido el consumo de combustibles al fomentar el uso del transporte público entre sus trabajadores y colocar lámparas ahorradoras en sus oficinas; asimismo, la Universidad de Heidelberg emplea energía solar para producir energía eléctrica. Ambos proyectos han reducido las emisiones de dióxido de carbono hacia la atmósfera hasta en una tercera parte.

Actualmente, el exceso en el consumo de energía pone en riesgo su abastecimiento, por ello la importancia de valorar la energía y los recursos naturales como componentes indispensables del desarrollo, buscar la manera de protegerlos y preservarlos.

❖ Tranvía en Heidelberg, Alemania.

❖ Castillo de la ciudad de Heidelberg, Alemania.

 Exploremos

En parejas, revisen las gráficas de consumo y producción de energía eléctrica del *Atlas de Geografía Universal*, página 75. Localicen los países que aparecen en las gráficas, distingan aquellos de mayor consumo y mayor producción. ¿En qué zona se produce mayor energía?

Apliquemos lo aprendido

¿Sabías que algunos aparatos eléctricos consumen energía sólo con el hecho de estar conectados a la toma de corriente? ¿Has notado que si el recipiente en el que se calienta agua está destapado ésta tarda más en hervir? Hay muchas maneras de ahorrar recursos energéticos en casa. Algunas son sencillas: apagar la luz que no utilizamos, tapar las ollas cuando calentamos el agua o los alimentos y desconectar los aparatos si no los usamos.

Participa con tu grupo en un proyecto para el ahorro de recursos energéticos.

Consideren los requisitos del siguiente cuadro para desarrollar un proyecto sustentable; pueden sugerir otros requisitos para integrarlos al ahorro de más recursos energéticos.

Requisitos para el desarrollo de un proyecto sustentable	Actividades a realizar
Propiciar la participación de los miembros de la comunidad en las actividades del proyecto.	• En equipo comenten acerca de la importancia de contribuir en el ahorro de energía en el hogar. • Diseñen un proyecto sustentable de ahorro de energía eléctrica en la casa y coméntenlo con su familia para que participe en las decisiones.
Partir de un plan de acción con metas a mediano plazo.	• Decidan qué familias quieren llevarlo a cabo durante cuatro meses.
Contribuir a resolver las necesidades económicas, sociales y ecológicas.	• Consulten el recuadro de información para el ahorro de energía que está al final de la lección y elaboren una lista de acciones que se puedan realizar en su casa. Estas actividades favorecerán el ahorro de energía y la disminución de la contaminación. Coloquen la lista en una pared de la escuela para compartirla con los miembros de la comunidad escolar. • Para registrar los avances, indiquen con un símbolo si se realizan o no cada una de las acciones.
Organizarse para acordar la manera de comprobar si hubo o no ahorro económico y de energía.	• Calculen el ahorro de energía comparando los recibos de la luz de los dos útimos bimestres. Observen el recuadro del recibo donde dice consumo de kw/h (kilowats por hora) y cuánto hay que pagar.
Propiciar la participación de los miembros de la comunidad en la toma de decisiones para el ahorro de energía.	• Elaboren un periódico mural sobre los beneficios del uso eficiente de la electricidad. Se sugiere colocarlo en la entrada de la escuela. • Consideren el contenido del cuadro de la página siguiente y dibujen o busquen imágenes para ilustrar el periódico. Seleccionen la información de acuerdo con las características del lugar donde viven.

En grupo, reflexionen y expongan sus puntos de vista con relación a la siguiente pregunta:
¿Por qué la disminución en el uso de la energía eléctrica contribuye al cuidado del ambiente?

Información para el ahorro de energía	
Iluminación	• Sustituyan los focos por lámparas ahorradoras, ya que la iluminación representa la tercera parte del consumo de energía. Ese cambio puede significar del 50 al 75% de ahorro en la energía. Utilicen el mayor tiempo posible la luz de día.
Radio, televisión y equipo de sonido	• No dejen encendidos los aparatos si no los utilizan. Procuren reunir a los miembros de la familia ante un mismo aparato de televisión. • Usen el reloj programador para que el televisor se apague por si se quedan dormidos.
Lavadora	• Para ahorrar introduzcan cada vez el máximo permitido de ropa, ya que es el aparato que más energía consume. • Eviten utilizar agua caliente, a menos que la ropa esté muy sucia. Aprovechen el Sol para secar la ropa de modo que eviten utilizar el ciclo de secado.
Refrigerador	• Colóquenlo alejado de las fuentes de calor y cerca de la pared con ventilación suficiente para que circule el aire. • Abran el refrigerador lo menos posible.
Plancha	• También es uno de los aparatos que más energía consume, por tanto, se debe planchar sólo lo necesario. • Se recomienda iniciar con la ropa que requiere más calor y dejar al final las prendas delicadas usando el calor residual de la plancha desconectada.
Computadora y energía en espera	• Apagarla cuando no se ocupa. • Muchos aparatos, aunque estén apagados, consumen energía llamada en espera; retiren la clavija del contacto de estos aparatos.
Ventilación y aire acondicionado	• En lugares de clima muy cálido se vuelve indispensable el uso del aire acondicionado, pero el consumo es muy alto. • Se recomienda utilizar el aire acondicionado mientras se enfría la habitación y luego usar un ventilador. • Mantengan la habitación cerrada después de enfriarlo.
Estufa y calentador de gas	• Instalen la estufa lejos de la ventana. • Cocinen con las ollas tapadas y usen olla a presión. • Tomen duchas cortas. • No dejen que permanezca corriendo el agua caliente. • Calienten sólo el agua necesaria.

Lo que aprendí

Recuerda lo que aprendiste en el bloque y realiza el siguiente ejercicio.

Lee el siguiente diálogo entre Joaquín y Pati, después responde las preguntas y anota la lección con la que se relacionan.

J: Mira, Pati, ésa es la fábrica de papel más grande de nuestra región. Ahí producen cajas de cartón.

P: ¿De ahí trajeron la madera y el agua para hacerlas? Van a necesitar más árboles. Seguramente los traerán de la Sierra Norte, porque ahí el clima es frío y pueden crecer los bosques.

J: Yo creo que los traen de Valle de Santiago, más abajo del río. Ahí llueve tanto como en la sierra, pero hace mucho calor, por eso hay varios árboles y plantas distintos. ¡Vamos a acercarnos para ver las bodegas!

P: Mira: ¡cuánta agua entra en la fábrica! ¡Uff, que calor y qué feo huele! Seguramente es por la humedad y los químicos que usan.

J: Me imagino que sí usan mucha agua y químicos para blanquear el papel reciclado. Con ese papel hacen los cuadernos que usamos, el papel cartón de las cajas de huevo, para empacar e incluso hacen tubos.

P: Sí, es muy útil, pero lo podrían hacer sin dañar el ambiente.

- ¿Qué mapas temáticos tendrías que sobreponer para localizar las zonas más óptimas de donde traerán los árboles para la producción de papel? _____

_____

Lección: _____

- ¿Cuáles son las condiciones que favorecen la biodiversidad, como las que se dan en la región baja del Valle de Santiago?

_____

_____

Lección: _____

- ¿Por qué es importante para el ser humano el aprovechamiento de recursos naturales, por ejemplo, los árboles?

_____

_____

Lección: _____

Al terminar las actividades, comparte tu trabajo con tus compañeros.

Realiza la lectura y en la siguiente página encierra en un círculo el inciso que responde correctamente cada pregunta.

La luz y el calor solar son una de las pocas riquezas naturales que se tienen en abundancia en la norteña y árida región de Argentina llamada Puna, la cual forma parte del extenso altiplano andino compartido con Bolivia, Chile y Perú. Gracias a este recurso, las poblaciones ubicadas en la Puna están a punto de convertirse en "pueblos solares", pues la fundación EcoAndina, que comenzó su trabajo en esta región hace dos décadas, los ha asesorado para que aprovechen la energía solar para hacer funcionar hornos panaderos, calefactores, colectores de agua caliente y riego por goteo. Incluso en las escuelas hay colectores solares para entibiar las aulas y paneles que producen electricidad.

La ventaja de estos equipos es que permiten sustituir las energías tradicionales que despiden gases contaminantes como el dióxido de carbono y contribuyen al calentamiento global. Además, en esa región de suelos áridos y semiáridos con vegetación frágil y escasa, al no usar leña se combate la desertificación, puesto que la altura y la atmósfera poco húmeda determinan que la vegetación crezca lentamente, y la gente tenga que ir cada vez más lejos en busca de madera. Los estudios de la Fundación EcoAndina indican que el consumo de leña en los hogares se ha reducido entre un 50 y 70 % gracias a la existencia de cocinas solares.

◈ Un quechua en una cocina solar de Misa Rumi, en la región de la Puna, provincia de Jujuy, noreste de Argentina.

1. De acuerdo con las características de la región mencionada en la lectura, el Altiplano argentino tiene un clima:

   a) Seco desértico.
   b) Seco estepario.
   c) Templado con lluvias escasas.
   d) Polar de alta montaña.

2. La región natural que le corresponde al clima del Altiplano argentino es:
   a) Desierto.
   b) Sabana.
   c) Estepa.
   d) Vegetación mediterránea.

3. La vegetación y fauna características de esta región son:
   a) Cactus, agaves, roedores, reptiles e insectos.
   b) Hierbas, arbustos, boas, avestruces, leones, hienas y chacales.
   c) Hierbas, pastos, perros de pradera, coyotes y zorros de las pampas.
   d) Olivos, romero, lavanda, jabalíes, linces y milanos.

4. Se consideran países megadiversos:
   a) Rusia, Alemania y Argentina.
   b) Venezuela, Tanzania y Papúa-Nueva Guinea.
   c) Chile, España y Japón.
   d) Australia, India y México.

5. Son ejemplo de recursos naturales:
   a) Acero, harinas y plásticos.
   b) Sembradíos, animales domésticos y petróleo.
   c) Ganado, carbón de leña y árboles frutales.
   d) Bosque de pinos, agua y carbón mineral.

6. La Comisión Mundial sobre Medio Ambiente y Desarrollo propuso opciones para aprovechar los recursos naturales cuidando su preservación para el futuro; a esta propuesta se le llama:

   a) Modelo no sustentable.
   b) Modelo para conservar el ambiente.
   c) Modelo para mejorar la calidad del aire.
   d) Modelo de desarrollo sustentable.

Autoevaluación

Es tiempo de que evalúes lo que has aprendido en este bloque. Lee cada enunciado y marca con una palomita (✓) el nivel que hayas alcanzado.

Aspectos a evaluar	Lo hago muy bien	Lo hago con dificultad	Necesito ayuda para hacerlo
Explico las relaciones entre relieve, agua, climas, vegetación y fauna que forman las regiones naturales.			
Identifico las condiciones naturales (clima y relieve) que favorecen la biodiversidad en los países megadiversos.			
Explico por qué son importantes los recursos naturales para las actividades humanas.			
Explico cuáles formas de aprovechamiento de los recursos naturales contribuyen al desarrollo sustentable.			

Escribe una situación en la que apliques lo que aprendiste, hiciste e investigaste en este bloque.

_____

_____

Aspectos a evaluar	Siempre	Lo hago a veces	Difícilmente lo hago
Reconozco la importancia del cuidado y protección de la biodiversidad.			
Explico a mis compañeros las acciones que puedo realizar para contribuir a cuidar el ambiente de manera sustentable.			

Me propongo mejorar en: _____

BLOQUE

La población mundial y su diversidad

Redactar

Archivar   Marcar como   Eliminar   Mover a   Etiquetar

Recibidos
Enviados
Borradores
Eliminados
Plantillas

¡Hola, amigos!

¿Alguien me puede ayudar a encontrar información sobre el crecimiento de la población en México e Italia? Estoy haciendo un trabajo para mi clase de geografía, el maestro nos pidió comparar datos de ambos países usando pirámides de edad de cada uno.
¿Dónde piensan que puedo encontrar esa información?

Lo único que conozco sobre el comportamiento del crecimiento en cada uno de estos países es la marcada diferencia y la variación en la composición de la población. ¡Agradeceré mucho su ayuda!

Nos escribimos pronto ☺

Mariana

↩ Responder   → Reenviar

¿CÓMO ES LA POBLACIÓN EN EL MUNDO?

❖ Con el estudio de esta lección identificarás las tendencias de crecimiento y la composición de la población en distintas partes del mundo.

Comencemos

Como puedes ver en las imágenes que envió Mariana, así como existe diversidad en la vegetación y fauna en una región, país o continente; se presentan diferencias relacionadas con el crecimiento, la edad y el sexo de la población. ¿Qué información compartirías con Mariana para que su investigación fuera completa? ¿Cómo describirías una pirámide de edad y sexo?

Actividad

Observa las imágenes de la página anterior y las siguientes, y anota en tu cuaderno qué características y necesidades de la población identificas.

Después, encuentra las características comunes en las fotografías. ¿Qué problemas en común respecto a la población enfrentan estos lugares? Comenten las conclusiones en grupo.

❖ Byumba, ciudad de Rwanda. Como otras ciudades de este país, se encuentra poco urbanizada, muy poblada y con escasos recursos naturales.

❖ Favelas en Río de Janeiro. En las grandes ciudades brasileñas, como la de Río de Janeiro, existen numerosas aglomeraciones de viviendas de baja calidad y servicios urbanos, donde habita la población de menos recursos económicos.

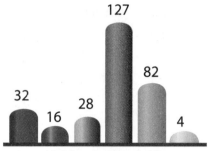

127

82

32

28

16

4

Habitantes por km²

Total mundial: 49

Aprendamos más

Durante miles de años, el crecimiento de la población fue lento debido al desconocimiento de las enfermedades, a la falta de higiene y a las guerras. Para mediados del siglo XVIII, la población mundial se calculó en unos 500 millones de habitantes y hace sólo medio siglo había la mitad de la población de hoy. Actualmente somos más de 7 000 millones y cada año, en promedio, aumentan 12 personas por cada 1 000 habitantes.

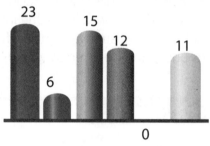

23

15

12

11

6

0

Crecimiento natural
Total mundial (por cada 1000 habitantes)

Total mundial: 1.2%

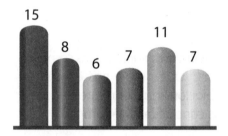

15

11

8

7

6

7

Mortalidad
(por cada 1000 habitantes)

Total mundial: 8

Características de la población por regiones

- África
- Canadá y Estados Unidos
- América Latina y el Caribe
- Asia
- Europa
- Oceanía

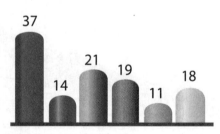

37

21

19

14

11

18

Natalidad
(por cada 1000 habitantes)

Total mundial: 49

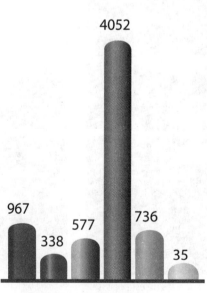

4052

967

736

577

338

35

Población en millones

Total mundial: 6705

❖ Fuente: Population Reference Bureau, "Cálculo a mediados de 2007", en *Proyecciones de las Naciones Unidas, revisión 2006*, ONU, División de Población, 2007.

Exploremos

En parejas, analicen los datos de las gráficas anteriores y coloreen, en el mapa anexo, página 190, lo que se les pide a continuación. Anoten los colores y la información correspondiente en el cuadro de simbología.

- El continente que tiene mayor número de nacimientos.
- El continente con mayor índice de mortalidad.
- El que ocupa el segundo lugar en el número de muertes.
- El de mayor porcentaje de crecimiento natural.
- El de menor porcentaje de crecimiento natural.

- El que presenta menos problemas de sobrepoblación, (habitantes por km²).
  Observen su mapa y anoten sus conclusiones acerca del crecimiento poblacional en el mundo.

Enseguida, comparen en grupo los datos de natalidad y mortalidad de Norteamérica (Canadá y Estados Unidos) con los del resto del continente americano y comenten cuáles son las diferencias que observan. Finalmente, comenten y hagan una lista de los problemas que enfrentan los países cuya población crece rápidamente.

Los retos de la población mundial

El crecimiento no es homogéneo, varía entre los continentes y entre los países. El comportamiento del crecimiento poblacional puede generar diversos problemas, que en ciertos países están relacionados con un crecimiento acelerado, y en otros con una baja tasa de nacimientos. Por ejemplo, Níger y Angola deben afrontar los retos que implican que su población esté conformada mayormente por niños y jóvenes. Por el contrario, Alemania e Italia deben atender problemas propios de una baja tasa de natalidad frente a una tasa de mortalidad en aumento, debido al envejecimiento de su población.

❖ Los adultos mayores necesitan más servicios médicos para prevenir enfermedades cardiacas y respiratorias.

❖ La falta de empleo en algunos países de África ha provocado que los jóvenes emigren a otros lugares.

❖ La población infantil necesita más escuelas y maestros.

Un dato interesante

En el año 2000, según la OMS, el consumo de tabaco provocó la muerte de casi 5 millones de personas y es responsable de la pérdida de 59.5 millones de años de vida saludable. Esto representa un millón de personas de 60 años.

Lee la siguiente nota periodística y haz lo que se indica.

Subraya con un color cuál es el tema principal de la nota y con otro destaca las futuras consecuencias de dicha situación.

Compara tus resultados con los de tus compañeros y en grupo comenten si consideran que en México ocurrirá algo semejante a Europa.

---

página 10

EL PERIÓDICO

México, 2011

Pronostican mayor índice de mortalidad que de nacimientos en Europa

En septiembre de 2008, el periódico europeo *International Herald Tribune* publicó que en siete años el número de muertes en Europa superaría al de nacimientos.

La noticia fue tomada de un estudio que realizó la Unión Europea (UE), en la cual se reconoce que para el año 2015 habrá un notorio descenso de la población.

El documento publicado por la agencia estadística de la UE, Eurostat, habla de los profundos cambios económicos y sociales que probablemente ocurrirán durante el próximo medio siglo, a medida que vaya aumentando la proporción de adultos mayores.

El informe no precisa cuáles serán los cambios, pero se espera la reducción del presupuesto para la educación, que se destinará a los servicios de seguridad social y salud, debido a que habrá una gran cantidad de adultos mayores. Incluso es posible que se admita mayor número de inmigrantes, lo cual actualmente es rechazado por la mayoría de los votantes europeos.

La situación demográfica de un país o un estado también puede graficarse en las llamadas pirámides de población, las cuales muestran la evolución de la población por quinquenios y por sexo.

Actividad

Observa las dos pirámides de la siguiente página.

Lee las frases que aparecen a continuación y pinta de colores diferentes cada barra de las pirámides que te permite obtener la información con respecto a la frase.

- En Angola nacen menos personas que en Francia.
- En Francia la mayor parte de la población tiene entre 30 y 59 años de edad.
- En Francia hay más adultos mayores que en Angola.
- Hay más mujeres que hombres en la población de adultos mayores (más de 65 años).

- En los próximos años habrá más demanda de escuelas primarias.
- Dentro de 30 años, Angola tendrá una gran cantidad de personas, así, mantendrán activa la economía; en cambio, Francia reducirá el número de personas económicamente activas.

Compara los datos de la nota periodística con la tabla de crecimiento poblacional de la página 60 de tu *Atlas* y en grupo comenten qué países de Europa tendrán los mayores problemas debido a la disminución de población.

Pirámide de edad, Angola, 2005

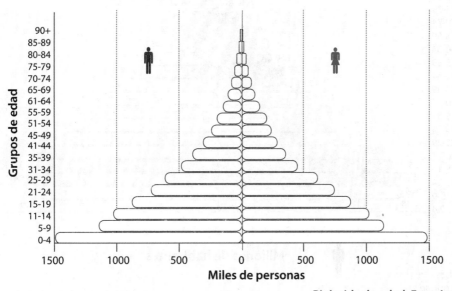

Pirámide de edad, Francia, 2005

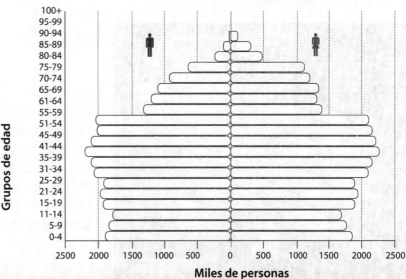

✧ Consulta en...

En el *Atlas de México*, en las página correspondiente al mapa de tu entidad, encontrarás la piramide de edades por sexo. También te sugerimos entrar a HDT, al video-FLV: "Sobrepoblación", donde identificarás tendencias de crecimiento y composición de la población.

HDT

México, como el resto del mundo, tiene necesidades derivadas de las características de su población.

Observa la siguiente pirámide de población de México y encierra en un círculo el grupo de edad en el que se concentra la mayor población. ¿En qué grupo de edad te encuentras?

En parejas, comparen la pirámide de México con la de Angola y Francia. ¿En qué parte de la pirámide de México hay mayores diferencias con Angola?, ¿y con Francia?

En grupo y con el apoyo de su maestro, comenten: si el ritmo de crecimiento en México se mantiene, ¿en 40 años cuáles serán los grupos de población de mayor edad?, ¿qué necesidades presentarán?

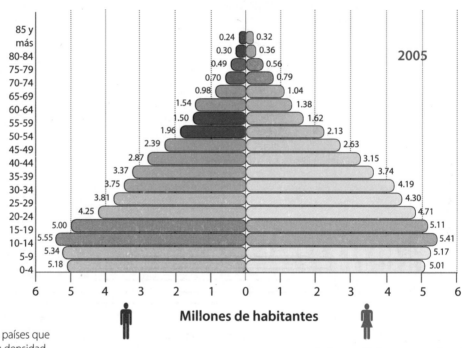

Millones de habitantes

◈ Etiopía es uno de los países que más ha crecido en su densidad demográfica en los últimos 25 años.

◈ Fuente: Cuéntame. INEGI: http://cuentame.inegi.gob.mx/poblacion/habitantes.aspx

La concentración de la población en algunos grupos de edad, da lugar al incremento de necesidades que requieren atención; para un país y su gobierno, no será lo mismo atender a una población principalmente joven, que a una donde predomine la población en edad de trabajar o la de adultos mayores.

Apliquemos lo aprendido

En equipo, lean la tabla de abajo, cópienla y completen las necesidades anotadas con la información correspondiente.

Necesidades	Grupo de edad que tiene dichas necesidades (niños, jóvenes, adultos, o adultos mayores)	Problemas que enfrenta la población cuando sus necesidades no se satisfacen	Soluciones que podrían reducir o eliminar los problemas
• Se requieren más alimentos, servicios de salud y de escolaridad básica.	Niños.	Desnutrición y aglomeración en ciudades.	Mejor alimentación, alimentos nutritivos, y más escuelas y viviendas.
• Se requieren más maestros y la construcción de escuelas para la educación media y superior.			
• El estado requiere mayor presupuesto para ampliar los servicios médicos de prevención de enfermedades cardiacas y respiratorias de este grupo de edad.			
• Se requiere del crecimiento de las actividades económicas: industrial, comercial y turística para dar empleos.			

En grupo, expongan sus tablas para identificar si coincidieron en los grupos de edad, y para ver la variedad de problemas y soluciones que identificaron entre todos.

Reflexionen y expongan su punto de vista sobre la importancia de los diferentes grupos de edad para el desarrollo del país.

Redactar

Archivar | Marcar como | Eliminar | Mover a | Etiquetar

Recibidos
Enviados
Borradores
Eliminados
Plantillas

Buenos días, Santiago,

Leí tu correo de ayer y sobre lo que preguntas acerca de mi país, vivo en una de las ciudades más grandes y pobladas de Sudamérica: São Paulo. Pero ésta no es la capital de Brasil, es Brasilia. Además quiero comentarte que en efecto, aquí existen barrios llamados favelas, en donde la población con menos recursos económicos vive en hacinamiento y con pocos, por no decir nulos, servicios domésticos.

También tenemos problemas de tráfico y contaminación del ambiente. Pero no todo es malo, esta ciudad tiene librerías para niños, cines, museos y parques; mi favorito se llama Ibirapuera y se ubica al sur de la ciudad.

Por favor, no dejes de conectarte, quiero practicar mi español con los hermosos relatos de las ciudades de tu país. Espero te ayude a practicar tu portugués.

Nos seguimos escribiendo.

Saludos.

Carlo

↰ Responder → Reenviar

LAS AGLOMERACIONES URBANAS

❖ Con el estudio de esta lección explicarás los efectos derivados de la concentración de la población en ciudades.

Comencemos

Carlo mencionó en el correo electrónico cuáles pueden ser las ventajas de vivir en las grandes ciudades donde hay mucha población como São Paulo, así como las necesidades y los problemas que se generan en un espacio geográfico como éste.

De acuerdo con la información del correo presentado, en tu cuaderno haz una lista de las ventajas y desventajas de vivir en grandes ciudades.

Actividad

Reúnete con un compañero y observen las siguientes imágenes.

Contesten: ¿Cuál de los dos lugares se asemeja a los problemas de São Paulo? ¿Por qué?

❖ La población en la ciudad de Chicago, Estados Unidos, es de 8 272 768 habitantes; mientras que en Milpillas, Aguascalientes, sólo habitan 350 personas.

Para que comparen las características de los lugares fotografiados, identifiquen sus diferencias y completen el siguiente esquema. Cabe mencionar que deben considerar la densidad de población, el tipo de construcciones, los medios de transporte, las actividades que realizan las personas y los servicios que consideren, existen en cada lugar.

Un espacio urbano		Un espacio rural
se caracteriza por	En cambio	se caracteriza por

Aprendamos más

Algunas actividades y servicios son semejantes en el medio rural y en las ciudades, pero otras son diferentes. En el medio rural se desarrollan, principalmente, las actividades del sector primario: agricultura, ganadería y el cultivo de árboles (silvicultura), porque requiere amplias extensiones de suelo fértil para sembrar, algo con lo que no se cuenta en una ciudad; en las ciudades, por otro lado, suelen desarrollarse las actividades económicas de los sectores secundario y terciario, es decir, las que se relacionan con la industria y los servicios.

Del mismo modo, tanto en las zonas rurales como en las ciudades se utiliza el teléfono, pero por la concentración de personas en las ciudades, es necesario un mayor número de aparatos telefónicos, pues se realizan más llamadas; por lo tanto, se emplean más kilómetros de cableado, más postes y hay más encargados de repararlos y mantenerlos en funcionamiento. Como en las ciudades la densidad de población es mayor, el suministro de productos y servicios para cubrir las necesidades también es más grande.

❖ Tienda rural de vinos y quesos en Europa. El comercio se realiza en el campo y la ciudad, pero se concentra en las urbes.

❖ Las oficinas proporcionan servicios como la realización de pagos, planeación de proyectos y actividades administrativas, por lo que su desarrollo es mayor en las ciudades.

❖ En la zona rural también existe el servicio de telefonía, aunque es escaso.

❖ Sembradío de caña en México. El paisaje agrícola es típico del espacio rural, es donde se producen los alimentos básicos de la población.

Exploremos

Observa el mapa de distribución de la población mundial en la página 62 de tu *Atlas de Geografía Universal* y contesta las siguientes preguntas:

- ¿En qué ciudades se concentran entre 10 y 20 millones de habitantes?
- ¿En qué continente hay mayor concentración de población?
- ¿Hacia dónde tiende a concentrarse más la población: hacia el centro o hacia las costas de los continentes? ¿Por qué ocurre así?

Luego, en parejas, comparen el primer mapa de esta actividad (distribución de la población mundial) con el de ganadería (página 71) y con el de los principales tipos de industria (página 73); observen cuál de las actividades económicas coincide con la distribución de la población de las ciudades.

Finalmente, revisen el mapa de población total por entidad federativa en la página 28 del *Atlas de México*, anoten en sus cuadernos los nombres de las tres ciudades más pobladas e indiquen si se localizan en las costas o en el centro de nuestro país.

Recordarás que en quinto grado estudiaste algunos factores que atraían a la población para establecerse. Comparte tu opinión acerca de las características naturales, culturales o económicas que consideres, influyeron en el poblamiento de la ciudad o lugar donde vives.

❖ El tren subterráneo y los bomberos son servicios (de transporte y protección civil, respectivamente), que existen en algunas ciudades.

Productos y servicios

En una ciudad se concentran miles de personas que realizan cotidianamente múltiples actividades y demandan un sinfín de servicios y productos. Por ello, en las ciudades puedes encontrar numerosos establecimientos que ofrecen servicios: escuelas, hospitales, transporte público, oficinas, entre otros; o venta de productos, por ejemplo, mercados y centros comerciales; en el medio rural, por otro lado, la falta de medios de transporte y las distancias dificultan la obtención de los servicios. Los encargados de proveer esos servicios y productos deben resolver una serie de dificultades como se muestra en las notas periodísticas de la página siguiente.

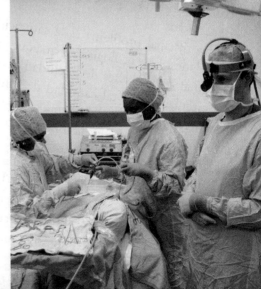

● EL PERIÓDICO

México, 2011

La vida del campesino

En el campo se vive en condiciones difíciles, por ejemplo, hay que trabajar desde muy pequeño. Muchos niños no van a la escuela, por eso mucha gente grande no sabe leer ni escribir; aunque afortunadamente yo sí aprendí a escribir y a leer. Casi siempre, comemos poco y de lo que nosotros mismos cultivamos. Seguido nos enfermamos, pero nos curamos con las hierbas. El agua se saca del pozo porque no hay agua corriente. Para ir al centro de salud hay que caminar mucho. Cuando llueve los caminos se llenan de lodo y el camión no pasa. Apenas llegó la electricidad, y ya podemos ver la tele en la escuela; así nos enteramos de lo que pasa en el país.

Testimonio de Mario López

Los problemas urbanos desgastan el centro de Playa del Carmen*

Jorge Fuentes, ecologista y activista social, asegura que como consecuencia del éxito turístico la ciudad empieza a padecer los problemas típicos de la sobrepoblación, tanto de turistas como de habitantes de la región que trabajan en el área de servicios.

El principal problema es la saturación de las vialidades. Este ecologista afirma que en el trazo original de las calles de la ciudad no se previó la circulación de tal cantidad de vehículos, de manera que el caos vial impera en las horas pico. Asimismo advierte que la constante construcción de edificios, el movimiento urbano propio del comercio y el turismo, y las actividades cotidianas de los residentes han rebasado la capacidad de las calles de la ciudad. Sugiere al gobierno del estado que tome medidas al respecto, e invita a la población a moderar el uso de automóviles en el centro de la ciudad.

¿Qué servicios hay en las ciudades, que no existen en el campo? ¿Cuáles servicios son indispensables en ambos?

Como viste, en ambos espacios la población requiere de los mismos servicios, sin embargo, en las ciudades, debido a la gran concentración de población, la demanda es mayor y los problemas generados por la escasez de estos servicios se multiplican.

❖ Entre otros problemas urbanos, el crecimiento demográfico ha sido tan rápido y la distinción de clases sociales es tan evidente, que las diferencias entre zonas económicas son claras.

* Adaptada de Noticaribe, fuente: http://www.noticaribe.com.mx/rivieramaya/2007/04/desgastan_problemas_urbanos_el_centro_de_playa_del_carmen.html

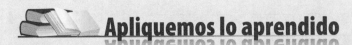

Apliquemos lo aprendido

En grupo, dibujen sobre cartulinas u hojas de papel bond un hospital, una escuela, una casa, una parcela, un lugar de pesca, una carretera y un mercado.

En el patio tracen cuatro círculos donde quepan todos.

Nombren a un coordinador que colocará los dibujos en diferentes círculos, puede colocar más de uno y dejar algún círculo con una sola hoja. Luego, preguntará: ¿dónde quieres vivir?

Cada uno debe correr y meterse al círculo que contiene el dibujo de lo que considera importante para vivir, pero no deben rebasar el círculo. Si ya no caben, tendrán que ir a otro.

Observen cuál fue el círculo que concentró a mayor número de alumnos y cuál quedó más vacío. Comenten por qué consideran que fue así.

Qué problemas se presentarán en el círculo donde hay mayor concentración de personas y qué problemas tendrá el círculo que está más vacío.

Pueden realizar la misma actividad y reflexión hasta que hayan movido todas las hojas.

❖ Las ciudades planificadas comienzan a construirse en zonas ideales (en clima, relieve, vegetación y fauna), con esto se logra no sólo el bienestar social, sino la planificación de vías de comunicación y de comercio. Tal es el caso de Brasilia, en Brasil, que se fundó en 1960 mediante una planificación rigurosa.

Como viste, la ciudad es un espacio geográfico donde hay una gran concentración de población, de productos y de servicios, que usa gran cantidad de recursos naturales y resulta atractiva para la población rural. Sin embargo, también puede llegar a provocar la salida de sus habitantes si los servicios y los empleos son insuficientes o de mala calidad. Este movimiento de población lo estudiarás a continuación.

Recibidos

Redactar

| Archivar | Marcar como | Eliminar | Mover a | Etiquetar |

Recibidos
Enviados
Borradores
Eliminados
Plantillas

¡Hola, Valeria!

¿Cómo estás? Yo apenas acostumbrándome a mi nueva ciudad y escuela. El viaje en carretera desde Antigua hasta Los Ángeles fue muy largo, ¿creerás que recorrimos más de 3500 km? ¿Te imaginas?. Gran parte del trayecto lo hice dormida. ☺

A pesar de que los extraño mucho, las personas de aquí son muy amables y ya empecé a hacer amigos, algunos de ellos también nacieron fuera de esta ciudad y de este país. Por cierto, te platico que mi mamá y mi papá están muy contentos con sus nuevos empleos.

Aunque mi familia y yo hayamos migrado, espero no perder contacto contigo, podemos comunicarnos por medio del chat y cuando vengas de visita te llevaré a conocer algunos lugares que me han gustado mucho, como el teatro chino en el Boulevard de Hollywood y una playa preciosa que se llama Redondo Beach. Te comparto las fotos que tomé de estos sitios.

Te mando mil abrazos ☺

Elizabeth, tu amiga viajera

↩ Responder → Reenviar

DE UN LUGAR A OTRO. MOVIMIENTOS MIGRATORIOS

❖ Con el estudio de esta lección distinguirás las principales rutas y consecuencias de la migración de la población.

Comencemos

Observa las imágenes que envió Elizabeth a su amiga y las de abajo, expresa tu opinión acerca de las personas que se van a vivir a otro país.

◆ El Puente Internacional, paso fronterizo en Ciudad Juárez, Chihuahua, y El Paso, Texas, permite el acceso de más de 1000 personas a diario, no sólo de mexicanos sino de toda América Latina.

◆ La isla Ellis, en Nueva York, recibió, a finales del siglo XIX y principios del XX, inmigrantes irlandeses, ingleses y franceses, que buscaban nuevas oportunidades laborales en América del Norte.

Actividad

En grupo, lean el siguiente texto. Luego, respondan en su cuaderno las siguientes preguntas:

- ¿Qué consecuencias de la migración reconoces en el siguiente texto?
- ¿Por qué el personaje emigró a Estados Unidos?
- ¿Cuál era la principal razón por la que ahorraba su dinero?

- ¿Por qué la familia no quiso acompañarlo de regreso a Guatemala?
- ¿Qué opinan sobre el final de la historia?
- ¿Consideran que puede pasar lo mismo con Elizabeth en los Ángeles?

Con la asesoría de su maestro, formen un grupo de discusión y expongan sus puntos de vista al respecto.

Hace poco, leí una nota en Internet, que me impresionó y me hizo reflexionar sobre la experiencia de quienes van a otro país en busca de una vida mejor. Su autor es Jose Juaquín y se titula "El migrante".

El texto narra la historia de uno de tantos jóvenes guatemaltecos que han emigrado a Estados Unidos. Este joven se fue a trabajar al país del Norte con la ilusión de volver algún día a Guatemala. Ahorraba todo su dinero y puntualmente enviaba una parte a sus padres, quienes, con el tiempo, lograron construir una casa muy grande en la que él habría de vivir cuando regresara. Después de 20 años, esta persona se había casado en Estados Unidos y tenía cuatro hijos. En este tiempo, logró reunir una pequeña fortuna en dólares que convertida a quetzales (la moneda de Guatemala) era considerable; por lo que decidió volver a su tierra para quedarse. Sin embargo, ninguno de los miembros de su familia quiso acompañarlo: sus hijos no extrañaban un país que nunca había sido el suyo. Entonces, él regresó solo, extrañando a quienes quedaban atrás, pero, al mismo tiempo, emocionado porque vería nuevamente a sus padres y hermanos.

Al poco tiempo se dio cuenta de que la Guatemala que tanto extrañaba, aquella que tanto comentaba en los foros en Internet, no era ésta que visitaba. Por alguna razón, inexplicable, ya no era la Guatemala de sus recuerdos. Aceptó con dolor que él ya no pertenecía a ese país y que debía regresar al Norte, donde estaban su casa, su familia, su gente... el lugar en donde ahora pertenecía.

✧ Un dato interesante

La División de Población de la ONU dice que 175 millones de personas viven actualmente en un lugar distinto de su país de origen, lo cual corresponde al 3 % de la población mundial.

Aprendamos más

La población abandona su lugar de origen por distintas razones: económicas, sociales, políticas y culturales. A ese desplazamiento temporal o permanente, de un país a otro, de una ciudad a otra o de un pueblo a otro, se le llama migración.

Debido a la globalización, tanto la información tecnológica como el capital y la producción interactúan de forma simultánea a escala mundial y fomentan la movilidad de las personas, que emigran hacia donde les ofrecen mejores oportunidades. La demanda y oferta de mano de obra barata han modificado las rutas o flujos migratorios entre países de bajo desarrollo económico y las potencias financieras, como Estados Unidos, la Unión Europea y los países árabes petroleros. Los flujos migratorios los componen distintos tipos de personas: trabajadores, refugiados de guerra, mano de obra calificada, estudiantes, directivos o empresarios.

Exploremos

Con la orientación del maestro, formen equipos de acuerdo con el número de carteles informativos que se encuentran en la página 96.

Seleccionen un cartel y lean las características de los flujos migratorios de la región asignada.

En el mapa de la página 191, coloreen los principales países receptores y las regiones expulsoras de emigrantes que se mencionan en el cartel, y tracen sus rutas de migración de acuerdo con la simbología.

En un mapa mural, cada equipo explique las características de los flujos migratorios de su región y tracen las rutas correspondientes con un color diferente al resto de los equipos.

❖ Niños migrantes guatemaltecos, rumbo a la frontera con México.

África del Norte y occidental

Los trabajadores emigrantes de países como Senegal, Túnez y Egipto se desplazan por la falta de trabajo y por la atracción que ejercen países de Europa occidental, como Francia y Bélgica, y naciones productoras de petróleo en Oriente Medio.

AMÉRICA DEL NORTE

En Estados Unidos y Canadá hay un aumento continuo de inmigrantes que provienen principalmente de Latinoamérica y Asia. La mayoría de la migración latinoamericana a Canadá procede del Caribe, mientras que la que se dirige a Estados Unidos sale principalmente de México, El Salvador, Guatemala, Perú y Colombia; este movimiento se origina por motivos de trabajo y políticos. Por su parte, los asiáticos constituyen más del 54% del total de los estudiantes internacionales en Estados Unidos.

Australia y Nueva Zelanda

Australia y Nueva Zelanda son naciones pluriculturales por la cantidad de inmigrantes que reciben de forma permanente y temporal.

Al reducirse las restricciones de entrada a los no blancos (1976), aumentó la entrada de refugiados vietnamitas, libaneses y trabajadores de China y del Sureste asiático, principalmente.

Este y Sureste asiático

La gran producción japonesa ha dado lugar a un continuo ingreso de trabajadores que principalmente proceden del Este asiático, siendo el grupo más numeroso el coreano, seguido de China y Filipinas. Además, con el crecimiento económico de la región aumentaron los movimientos migratorios, como el de Singapur, donde el 11% de su población es extranjera, primordialmente, de Malasia, Tailandia y Filipinas.

Europa

Europa Occidental sigue siendo una de las regiones con mayor crecimiento económico, por lo que tiene un alto porcentaje de migración con respecto al resto del continente. Hay presencia de migrantes extranjeros del occidente de África y de América del Sur, por la falta de trabajo o la persecución política en sus países de origen. Las naciones en donde buscan asilo son Gran Bretaña, Francia, Bélgica y los Países Bajos, principalmente.

Región de los países exportadores de petróleo

Arabia Saudita, Kuwait y los Emiratos Árabes Unidos son países con gran presencia de extranjeros procedentes principalmente de los países árabes (37%) y Asia del Sur, en especial India y Pakistán que contribuyen en gran parte (44%) a la existencia de inmigrantes en la región. Los empleos que buscan estos trabajadores son en la rama de la construcción y el servicio doméstico.

Consecuencias y expectativas

La globalización también ha universalizado rápidamente las expectativas y difundido a nivel mundial los estilos de vida, así como los modelos de consumo de habitantes de los países desarrollados.

Esto ha ocasionado que la mayoría de la población tenga como meta llevar una vida semejante. No obstante, se ha intentado conservar las identidades culturales y étnicas, lo cual no ha tenido mucho éxito, por lo que si no se dispone de oportunidades para realizar este ideal en el país de origen, la migración se convierte en una alternativa para muchos.

Actividad

Formen dos grupos: uno represente a los habitantes del país expulsor y otro a quienes viven en el país receptor. Cada grupo expondrá sus razones sobre las consecuencias positivas y las negativas de ir a vivir al país receptor. Consideren las situaciones descritas en los siguientes textos.

Al terminar, expongan al grupo su opinión respecto a estas consecuencias.

Colombiano en Sucre

Mosqueira es un ciudadano colombiano que ha residido por cerca de 20 años en Bolivia. "Lamento el hecho de que a raíz del asesinato de un ciudadano, por parte de un inmigrante de origen colombiano como yo, se hayan tomado represalias contra toda la comunidad de inmigrantes. Hago un llamado a la población para que reflexionen. El autor del delito ya está detenido, confiemos en la justicia, para que pague por lo que cometió, pero nosotros nada tenemos que ver, por el contrario, trabajamos muy duro para sacar a nuestras familias adelante".

Viaje trasatlántico

"El viaje duró unos ochos días navegando sin parar, sin comida, con olas muy fuertes. Chocamos, el mecanismo de la lancha falló y estuvimos días a la deriva", indicó el etíope, al asegurar que pensaba que iban "a perder la vida". Ahora, los 23 eritreos, 9 etíopes, 8 somalíes y una guineana esperan conseguir un estatus de refugiado que les permitiría vivir legalmente en Costa Rica. En la mayoría de los casos, los inmigrantes huyeron de sus países porque están en guerra y "los persiguen por su religión, pensamiento o les obligan a alistarse al ejército".

Protección para los africanos en Europa

"Lo que envío a mi hogar es parte del salario más bajo que se gana aquí en Bélgica, pero allá sirve para que la familia viva bien, además de ahorrar algo para cuando regrese a Somalia y ponga un negocio". Para el año 2000 se hizo visible la presencia de niños en las calles de nuestras ciudades, niños que se encontraban solos, sin la presencia de adultos que se hicieran cargo de ellos en la ciudad a la que habían llegado. Ante la inseguridad y el rechazo a los inmigrantes, las organizaciones no gubernamentales respondieron al problema urgente de dar atención y protección a estos adolescentes que provenían principalmente de África.

Apliquemos lo aprendido

Organícense en equipos y elaboren, en una hoja de rotafolio, un planisferio para representar los movimientos migratorios.

Consulten en las siguientes gráficas los datos de los países receptores y expulsores.

Asignen un color para cada uno de los siguientes rangos:

Países receptores de 4 a 6.9%
Países expulsores de 3.5 a 6.9%
Países receptores de 7 a 38.5%
Países expulsores de 7 a 11.5 %

Localicen en el mapa los países de las gráficas y coloréenlos con base en los rangos anteriores.

Tracen las rutas migratorias que localizaron en el desarrollo de la lección.

Países receptores con más inmigrantes

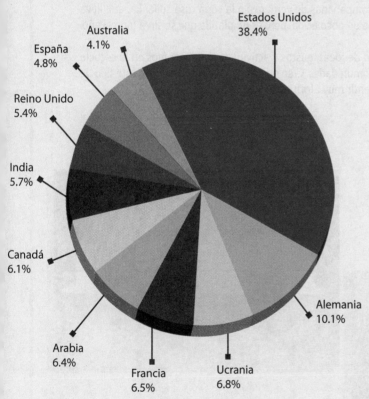

Países expulsores con más emigrantes

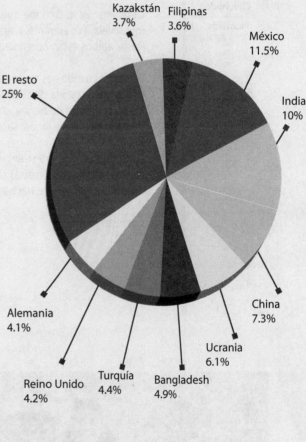

❖ Fuente: http://eco.worldbank.og.website/external/extdec/extdecprospects

Analiza el contenido de tu mapa y el de las gráficas, y contesta las preguntas:

- ¿En qué continente se localiza el mayor número de países receptores?
- ¿Cuál es el país que tiene el mayor porcentaje de inmigrantes?

- ¿Qué lugar ocupa México en el rango de países expulsores?
- ¿Cuál es la razón?

Discutan en grupo, ¿cuáles son las características de los países que atraen migrantes?

Redactar

Archivar   Marcar como   Eliminar   Mover a   Etiquetar

Recibidos
Enviados
Borradores
Eliminados
Plantillas

¡Hola, Iván!

Te escribo desde Valencia, ¿cómo estás? Hace tiempo que no te conectas, ¿recibiste mi último correo?

La última vez te contaba que me encanta encontrar estudiantes de diferentes países en mi escuela. Por ejemplo, tengo una compañera que es de Marruecos y otro que vive en Rusia, ambos están aprendiendo a hablar español.

De vez en cuando nos sentamos juntos para comer, nosotros les invitamos paella o fabada y ellos traen comida típica de su país que les preparan en su casa como el cuscús marroquí, hecho con bolas de harina acompañadas de verduras, o la sopa rusa solianka, que lleva pescado, pepinos y limón; sabe un poco ácida, pero es un platillo que se sirve todo el año.

Disfruto mucho el intercambio de ideas, gustos y actividades que tenemos en la escuela con los estudiantes de otras comunidades. Creo que asistir a una escuela con este tipo de diversidad cultural me hace sentir muy afortunado. ☺

Contesta pronto.

Javier

↶ Responder   → Reenviar

MINORÍAS CULTURALES

Comencemos

❖ Con el estudio de esta lección explicarás la diversidad de minorías culturales del mundo.

Como ocurre en España, existen diversos grupos sociales minoritarios localizados en distintos países alrededor del mundo. Las formas de vida y las manifestaciones culturales aportan riqueza a la diversidad cultural del espacio geográfico.

Describe en tu cuaderno a alguna de las personas que se encuentran en las fotografías del correo y que representan una minoría cultural.

◈ Los tuareg son una minoría cultural en los desiertos del norte de África.

Actividad

Lee el texto "La llama eterna" y subraya los diferentes grupos étnicos y culturales que se mencionan.

Después, elige una de las costumbres que se describen y dibújala.

Muestra tu dibujo a un compañero y pregúntale a qué grupo cultural o étnico de los mencionados en la lectura corresponde. Al momento de que acierte tu compañero, deberás hacer lo mismo con su dibujo.

En grupo, considerando lo aprendido en quinto grado sobre los grupos culturales en el mundo, identifiquen cuáles son los grupos culturales minoritarios en la lectura.

La llama eterna*

La llama de una vela siempre ha representado el alma solitaria. Por eso los católicos encienden velas por las almas de los muertos y hay llamas permanentes en muchas tumbas del soldado desconocido, para recordar a todos los que han muerto en la guerra.

En muchos lugares del Mediterráneo se llevan a cabo procesiones durante la Semana Santa, en las que los habitantes de todos los pueblos y ciudades ascienden con velas y antorchas hasta un lugar santo situado en lo alto de una montaña o una colina. El trayecto transcurre en la oscuridad y entre el suave aroma de las flores. En la media noche del sábado de Gloria se enciende el Cirio Pascual, que cede su lumbre a muchas otras velas, para celebrar la Pascua de Resurrección.

Los hindúes encienden una pira funeraria, y sólo la tradición decide qué miembro de la familia del difunto debe encenderla. Los reyes y grandes héroes vikingos, en cambio, eran arrojados al mar en sus barcos junto con sus objetos más valiosos, que se incendiaban antes de que se hundieran, a pesar de su enorme valor.

* Mary Hoffman y Jane Ray, *Canción de la Tierra. Mitos, leyendas y tradiciones*, México, SEP-Ramón Llaca, 2003 (Libros del Rincón).

❖ El grupo indígena huichol habita en los estados de Nayarit y Jalisco.

Aprendamos más

Un grupo étnico es un conjunto de personas que comparten rasgos culturales, lengua, religión, celebración de ciertas festividades, música, vestimenta, tipo de alimentación, una historia y, comúnmente, un territorio. Al compartir estos rasgos, los integrantes de un grupo se identifican entre sí y se diferencian de las personas que pertenecen a otro grupo étnico.

Las minorías culturales

Las minorías culturales son grupos humanos que comparten elementos lingüísticos, religiosos y étnicos, los cuales son diferentes de la gran mayoría de la población, del estado o del lugar donde viven.

Cuando estas minorías son originarias del país donde viven, reciben el nombre de minorías nacionales, y cuando provienen de otros países y se asientan en una nueva región, se les denomina minorías de inmigrantes. Un ejemplo de minoría nacional son los grupos aborígenes australianos, que representan poco más del 2.1 % de la población total; un ejemplo de minoría de inmigrantes son los chinos e italianos que representan alrededor del 2 % en ese país.

Frente a este contexto, es común que los grupos mestizos discriminen a las minorías étnicas y a las de inmigrantes.

Exploremos

Observen el mapa del anexo, en la página 192, en el que aparecen algunas minorías culturales y respondan las siguientes preguntas:

- ¿Por qué la distribución de los grupos indígenas no coincide con la división política actual?
- ¿Qué grupos se localizan en más de un país?

Mapa en el anexo, página 192

Dentro de cada uno de estos grupos existen muchas variaciones que favorecen la riqueza cultural del mundo, por ejemplo, sólo en México existen 62 grupos étnicos indígenas que hablan una lengua propia; no obstante, en comparación con la población total del país, representan menos de 8%, por lo que son considerados minorías culturales; al igual que algunos grupos de origen extranjero como los menonitas, los judíos, los negros y los asiáticos, que no llegan a ser más del 1% en relación con los mexicanos.

Por otra parte, los grupos culturales pueden tener en común las convicciones políticas, las manifestaciones artísticas, las prácticas de ciertos deportes y otros componentes culturales que los relacionan; sin embargo, pueden no compartir el territorio. Por ejemplo, los *hippies* que compartían una ideología o las tribus urbanas que se identifican, básicamente, por sus expresiones artísticas. Estos grupos culturales también son considerados como minorías con respecto al total de la población.

❖ Festival de Woodstock, en Estados Unidos.

❖ África. Cada práctica y manifestación cultural enriquece a la humanidad, permite que conozcas y respetes otras formas de comprender al mundo que compartimos.

❖ Berkeley, California. ❖ Tokio.

Actividad

En equipos investiguen en la biblioteca de su escuela qué es la *discriminación* y cuáles son los motivos por los que se discrimina a algunos grupos. Pueden apoyarse en el siguiente texto.

> La discriminación de las minorías tiene su origen en los prejuicios de las personas respecto de ciertas características y rasgos distintos a los suyos. Una actitud de discriminación suele considerar inferiores a los otros que tienen un aspecto físico, una cultura o una religión diferentes.

Un ejemplo de lo anterior es que en casi todos los países ocupados por los nazis durante la Segunda Guerra Mundial (1939-1945), los judíos fueron obligados a usar una estrella amarilla para ser identificados y a vivir en un solo barrio amurallado llamado gueto, en condiciones terribles y sin poder salir.

Completen el siguiente esquema con base en lo que investigaron en equipo.

Marquen con una palomita (✓) y dibujen el motivo por el que hubo discriminación.

Yo he discriminado por
- ◯ Vestimenta
- ◯ Idioma
- ◯ Religión
- ◯ Otra manifestación cultura

Me han discriminado por
- ◯ Vestimenta
- ◯ Idioma
- ◯ Religión
- ◯ Otra manifestación cultural

Al terminar, comenten:

- ¿Qué sintieron frente a la discriminación?
- ¿Qué tan común es la discriminación en su grupo?
- ¿Cómo pueden actuar frente a la discriminación?

Apliquemos lo aprendido

De acuerdo con lo leído sobre minorías culturales y en equipos seleccionen un grupo minoritario de alguna región del mundo, investiguen sus características o rasgos culturales, recopilen imágenes que lo representen y realicen un *collage*. Consideren su vestimenta, festividades, palabras propias de su lengua, alimentos e ideología.

Finalmente, reúnan todos los trabajos y elaboren con ellos un mural en el salón. En éste ilustrarán la diversidad de manifestaciones culturales de los grupos minoritarios y las formas de evitar la discriminación que padecen. Para esto último, pueden utilizar dibujos, fotografías, recortes de periódicos y revistas con breves textos explicativos. Piensen cómo organizar la información para transmitir de forma clara el siguiente mensaje: "El respeto a las diversas manifestaciones culturales de grupos minoritarios de mi país y del mundo". Al terminar, otorguen un título a su obra.

✧ **Consulta en...**

Si tienes acceso a Internet, revisa la página del Aula intercultural: www.aulaintercultural.org, donde encontrarás un artículo sobre los juegos del mundo, la dirección exacta es: www.aulaintercultural.org/article.php3?id_article=1010

✧ Artesano australiano, en Arnhem.

✧ Los quechuas, en la zona andina, elaboran su propia ropa: chullos, chillicos, monteras, almillas y ojotas.

Lo que aprendí

Recuerda lo que aprendiste en el bloque y realiza el siguiente ejercicio.

La Ciudad de México es una de las más pobladas del mundo, no sólo por el índice de crecimiento natural de la población, sino por la migración nacional e internacional, en particular de Centroamérica y Asia (Corea del Sur y China).

❖ Palacio Nacional y Plaza de la Constitución, Ciudad de Mexico.

Responde las siguientes preguntas en tu cuaderno:
• ¿Con que gráfica explicarías que hay países con población infantil numerosa?
• ¿Qué obstáculos consideras que existen para atender a una gran población infantil?
• ¿De qué forma describirías que la ciudad de México es grande, pero no la mayor del mundo? ¿Qué efectos tiene una ciudad muy poblada?
• ¿Qué tipo de mapa te serviría para explicar los movimientos migratorios? Escribe las consecuencias de vivir en otro país.
• ¿Cuál es la importancia de apreciar las manifestaciones culturales de grupos pequeños, por ejemplo, los inmigrantes chinos?
Al terminar, comparte tu trabajo con tus compañeros.

Lee el reportaje, recuerda lo que aprendiste en este bloque y encierra en un círculo el inciso que responde correctamente a cada pregunta.

Fiesta de la Primavera en California y Lima

En ciudades de Estados Unidos, Europa y Latinoamérica existen zonas urbanas en donde viven numerosos grupos de población china, a estos lugares se les conoce como barrios chinos. Las ciudades donde vive un mayor número de ellos son San Francisco y California, en Estados Unidos, y Lima, en Perú.

Estas sociedades chinas, que se encuentran fuera de su país de origen, se dedican en general a las actividades comerciales, principalmente a la actividad restaurantera; por ejemplo, en Perú existen las chifas o restaurantes de comida peruana donde se combinan alimentos de ambos países.

Es evidente que tienen una cultura diferente a la del país en el que viven, pero como todo grupo minoritario, tratan de no perder sus tradiciones; por ejemplo, ellos celebran el año nuevo en una fecha diferente al calendario internacional, pues lo relacionan con el comienzo de la primavera, según el calendario tradicional chino, de ahí que su nombre oficial sea Fiesta de la Primavera.

1. La celebración del año nuevo chino o Fiesta de la Primavera en los diferentes países donde viven minorías de esta población, se realiza porque:

   a) Las representaciones diplomáticas consideran importante dar a conocer las costumbres del pueblo chino.
   b) Los migrantes que habitan en los diferentes países procuran conservar sus tradiciones.
   c) La celebración del año nuevo es una fiesta tradicional en todos los países del mundo.
   d) Los grupos de chinos que viven fuera de China han crecido mucho.

2. ¿En cuál de las siguientes situaciones se muestra una influencia de los inmigrantes chinos en la cultura del país en donde ahora viven?

   a) Los chinos celebran el año nuevo o Fiesta de la Primavera para diferenciarla del año nuevo internacional.
   b) Muchos niños chinos, hijos de migrantes, regresan a su país a estudiar.
   c) En las chifas o restaurantes de comida peruana, los chinos preparan platillos donde combinan alimentos de ambos países.

3. Un ejemplo de minorías culturales es:
   a) Los migrantes que viven dispersos en otros países.
   b) Los grupos de artistas de circo.
   c) Las asociaciones culturales.
   d) El grupo mestizo de los países latinoamericanos.

4. Una de las regiones en la que se localizan los países con alta densidad de población es:
   a) Sur de África.
   b) Europa Occidental.
   c) Australia.
   d) Norte de Asia.

5. Entre los efectos derivados de la concentración urbana están:
   a) Escasez de agua.
   b) Falta de agua potable.
   c) Sistema de drenaje insuficiente.
   d) Centros de salud alejados de la comunidad.

Autoevaluación

Es tiempo de que evalúes lo que has aprendido en este bloque. Lee cada enunciado y marca con una palomita (✓) el nivel que hayas alcanzado.

Aspectos a evaluar	Lo hago bien	Lo hago con dificultad	Necesito ayuda para hacerlo
Identifico causas y consecuencias del crecimiento de la población a partir del análisis de gráficas.			
Explico los efectos de la concentración de la población en las grandes ciudades.			
Distingo las rutas de la población migrante y sus consecuencias.			
Comprendo la diversidad de los grupos de migrantes que conforman las minorías culturales dispersas en diferentes países.			

Escribe una situación en la que apliques lo que aprendiste, hiciste e investigaste en este bloque.

_____

_____

_____

Aspectos a evaluar	Siempre	Lo hago a veces	Difícilmente lo hago
Me interesa conocer las medidas de planificación familiar.			
Reflexiono y valoro la importancia de las manifestaciones culturales de los grupos migrantes.			

Me propongo mejorar en: _____

La economía mundial

Puerto de
Seattle,
Washington,
Estados Unidos.

Recibidos

Redactar

Archivar   Marcar como   Eliminar   Mover a   Etiquetar

Recibidos
Enviados
Borradores
Eliminados
Plantillas

¡Qué tal, Esteban!

¿Cómo estás? ¿No has tenido inundaciones? Ayer en las noticias dijeron que Bangladesh volvió a inundarse y que sufrió pérdidas graves en la agricultura, viviendas y vidas humanas. Me quedé pensando si podrían recuperarse, pues cada año ocurre lo mismo. Ya averigüé sobre su economía y fue muy triste ver que la población es pobre.

Sin embargo, tu país no está considerado como uno de los más pobres, ¿te imaginas cómo estarán los países africanos que son los que forman los países del grupo más bajo? India está ligeramente arriba de Bangladesh, según los datos económicos, pero según me cuentas, tu familia vive bien y me quedé pensando si pasa lo mismo que en mi país, donde hay lugares en los que tenemos lo suficiente para alimentarnos y otros donde las comunidades son muy pobres. ¿Es así o estoy equivocada?

Bueno, como sea, espero que tu familia y muchas otras no sufran los estragos de las fuertes inundaciones y de la pobreza que no deja de existir en todas partes del mundo.

Te mando un fuerte abrazo.

Ximena

↩ Responder   → Reenviar

PAÍSES POBRES, PAÍSES RICOS

❖ Con el estudio de esta lección identificarás las características de los países con mayor y menor desarrollo económico.

Comencemos

Ximena comentó en su correo acerca de las grandes diferencias económicas que hay entre los países pobres y ricos, como verás en esta lección. Reflexiona y comenta lo que le dijo a Esteban.

Actividad

Reúnete con un compañero y comenten qué observan en las fotografías de abajo.

Distingan aquélla que corresponde a un país con menor desarrollo económico y acuerden qué imagen se parece a una familia mexicana. Anoten sus impresiones en el cuaderno.

Intercambien comentarios con relación a las preguntas: ¿Qué saben de los países pobres y ricos? ¿Cuánto calculas que gasta una familia en alimentos durante una semana?

Anoten sus comentarios para retomarlos más adelante.

❖ Familia en Teherán, Irán.

❖ Familia en Ziguinchor, Senegal.

Aprendamos más

El desarrollo económico está relacionado con el progreso social, ya que si un país tiene la capacidad de aumentar sus procesos de producción, genera riquezas y, por consecuencia, bienestar económico que debiera reflejarse en el bienestar social de sus habitantes.

Para calcular el desarrrollo económico de un país, o medir su riqueza, se considera el producto interno bruto (PIB), que es la suma del valor monetario total de los bienes y servicios producidos por una nación en un año.

Exploremos

Observa el mapa mundial del PIB que está en el anexo, en la página 193, y el mapa de división política de tu *Atlas de Geografía Universal.*

Elaboren en binas, una lista en su cuaderno con los nombres de los países que tienen un PIB mayor a los 1000 millones de dólares.

Observen las imágenes, localicen los dos países de donde son y comenten sus diferencias.

Comprueben si pertenecen a los países de la lista que elaboraron, y consideren su población y extensión.

Comenten a qué se deben sus diferencias, si ambos tienen un PIB alto.

Ve al anexo, página 193

◈ Pueblo rural en Orisa, India.

◈ Granero en Utah, Estados Unidos.

Producto interno bruto per cápita

Tu lista con países del producto interno bruto más alto muestra información general acerca de la economía de un país; no muestra cómo se distribuye la riqueza entre las clases y los grupos sociales del mismo.

Un indicador que relaciona el PIB de un país con su población, es su promedio, es decir, lo que le correspondería a cada persona del PIB total si se repartiera por igual a todos los habitantes de una nación.

A este importe se le llama producto interno bruto per cápita. Por ejemplo, en la siguiente tabla, Suiza, que se localiza en Europa, tiene un PIB per cápita de 56 207 dólares al año, por lo que tiene mayores oportunidades de desarrollo, mientras Burundi, localizado en África oriental, es el país con menos oportunidades de desarrollo.

PIB per cápita al año	
Nivel de ingreso muy alto	
Noruega	82 480
Dinamarca	57 051
Suiza	56 207
EUA	45 592
Nivel de ingreso alto	
Hungría	13 766
México	9 715
Brasil	6 855
Colombia	4 724
Nivel de ingreso medio	
Jamaica	4 272
China	2 432
India	1 046
Kenya	645
Nivel de ingreso bajo	
Togo	380
Rwanda	343
Niger	294
Burundi	115

❖ Fuente: Organización de Naciones Unidas (ONU), *Informe sobre desarrollo humano*, 2009.

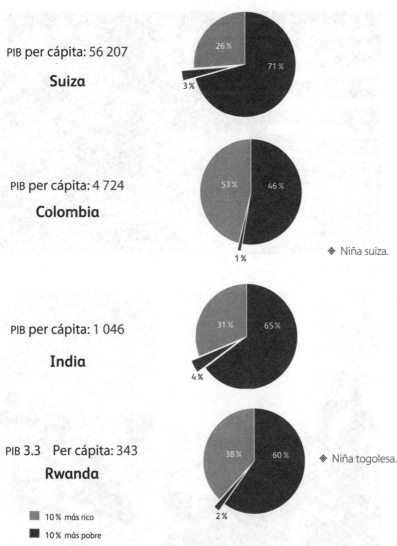

PIB per cápita: 56 207

Suiza

26 %
71 %
3 %

PIB per cápita: 4 724

Colombia

53 %
46 %
1 %

❖ Niña suiza.

PIB per cápita: 1 046

India

31 %
65 %
4 %

PIB 3.3   Per cápita: 343

Rwanda

38 %
60 %
2 %

❖ Niña togolesa.

■ 10 % más rico
■ 10 % más pobre
■ El resto de la población

❖ Distribución del ingreso en cuatro niveles. 70% de los países con alto desarrollo están en Europa y 85% de los países con bajo desarrollo están en África.

Actividad

Formen equipos y hagan lo siguiente:

En la tabla de la página anterior, elijan dos países de cada nivel y coloreen el recuadro de cada país con diferentes colores, según el nivel.

De los países que colorearon, obtengan las diferencias con relación al país de ingreso más alto y al más bajo.

Observen las imágenes de esta página y de la anterior, y comenten la forma de vida de las personas que allí aparecen.

Investiguen el ingreso per cápita de los países a los que pertenecen las imágenes y localícenlos en el mapa del PIB. ¿Qué nivel le corresponde a cada país? Comenten sus descubrimientos.

Reflexionen acerca de la relación que existe entre el nivel de ingreso y las características sociales observadas, y expresen sus opiniones al grupo.

✦ Un dato interesante

Pese a que algunas regiones del mundo han registrado un crecimiento sin precedentes y mejorado las condiciones de vida de sus habitantes en los últimos años, la desigualdad entre ricos y pobres es mucho mayor hoy que hace una década. Del mismo modo, el desempleo continúa en niveles altos, sobre todo entre los jóvenes. Fuente: Organización de las Naciones Unidas (ONU), "Situación mundial social, 2005: El predicamento desigual", 2005.

❖ Yucatán, México.

❖ Aula telematica en México. La calidad de la educación, sus métodos y recursos son aspectos importantes en el crecimiento de la calidad de vida en una población.

Apliquemos lo aprendido

Dibujen un mapa de México; en él marquen la información acerca del ingreso per cápita de las entidades que se observan en la tabla de la derecha, retomen los niveles de ingreso y los colores que seleccionaron en la actividad anterior.

Cuando terminen, analicen su mapa y discutan en grupo por qué las cifras no muestran la pobreza extrema que existe en el país, como se observa en las imágenes.

❖ En Guerrero (arriba) y Chiapas (abajo) las condiciones de vida en las zonas marginadas son deplorables.

Producto interno bruto por entidad federativa (2005)		
Entidad	PIB per cápita en pesos	PIB per cápita en dólares
Nacional	80 485	11 293
Aguascalientes	85 315	11 971
Baja California	93 690	13 146
Baja California Sur	89 661	12 581
Campeche	120 996	16 977
Coahuila	97 490	13 679
Colima	69 808	9 795
Chiapas	28 443	3 991
Chihuahua	102 436	14 373
Distrito Federal	183 511	25 749
Durango	64 373	9 032
Guanajuato	51 539	7 232
Guerrero	38 951	5 465
Hidalgo	41 161	5 775
Jalisco	69 185	9 708
México	51 315	7 200
Michoacán	39 397	5 528
Morelos	64 559	9 059
Nayarit	41 699	5 851
Nuevo León	132 415	18 580
Oaxaca	32 099	4 504
Puebla	50 415	7 074
Querétaro	83 283	11 686
Quintana Roo	107 936	15 145
San Luis Potosí	56 612	7 944
Sinaloa	54 615	7 663
Sonora	84 792	11 897
Tabasco	47 246	6 629
Tamaulipas	82 737	11 609
Tlaxcala	37 160	5 214
Veracruz	43 648	6 124
Yucatán	58 881	8 262
Zacatecas	39 200	5 500

❖ Fuente: http://www.inee.edu. mx/bie/mapa_indica/2008/ PanoramaEducativoDeMexico/CS/ CS10/2008_

Recibidos

Redactar

| Archivar | Marcar como | Eliminar | Mover a | Etiquetar |

Recibidos
Enviados
Borradores
Eliminados
Plantillas

¡Hola, Mayra!

¿Recuerdas el correo que nos llegó donde dice que hay países como Lituania, Italia y Portugal que tienen más celulares que habitantes, y discutimos sobre quién los fabrica? Pues nadie ganó porque resulta que se hacen en varios países.

Ya investigué y, como decías, se hacen en China (Taiwán), pero también en Alemania, Estados Unidos de América y Finlandia. En China y Alemania se fabrican los chips, se ensamblan en Centroamérica y en el sur de Asia, los diseños y estrategias de ventas se hacen en Estados Unidos y Finlandia, por supuesto, ¡se venden en todo el mundo!

Como en el caso de los coches, que en unos países los diseñan, en otros los fabrican, en otros solamente los arman, y otros los compran y venden, es una labor en varias regiones.

Bueno, nos vemos en la cancha el sábado.

Saludos

Jorge

↰ Responder → Reenviar

EL COMERCIO INTERNACIONAL

❖ Con el estudio de esta lección compararás la participación de diferentes países en el proceso de globalización económica.

Comencemos

Como acabas de leer en el correo electrónico, muchos países se relacionan en la fabricación, venta y compra de un mismo producto. Identifiquen las etapas de producción de los celulares y comenten en el grupo si la participación y las utilidades obtenidas serán las mismas para todos los países participantes.

Actividad

Reúnete con un compañero y lean en equipo el texto siguiente:

Ayer mi prima Mónica me platicó que sus papás le compraron unos patines y un carrito. Al revisar las etiquetas vieron que la de los patines decía "Hecho en China con 100 % fibra de vidrio. País de origen: Estados Unidos. Importado por México"; y la del carrito decía "Hecho en Ontario, Canadá. Ensamblado en Taiwán. Importado y distribuido por México". Ella y su hermano se asombraron al ver que había tantos países en su elaboración y venta.

En un planisferio, localicen los países involucrados en la producción y comercio de los juguetes y el celular, luego tracen la ruta de producción y distribución de estos productos.

Tomen dos objetos, pueden ser juguetes o aparatos electrónicos, lean las etiquetas, y localicen las rutas de producción y distribución en el mismo planisferio.

En grupo, comparen sus mapas y comenten: ¿cuántos países están involucrados en el proceso de producción, venta y compra de sus objetos? ¿Qué continente está ausente del comercio internacional?

❖ Planta de extracción de jugo de naranja, Florida, Estados Unidos.

Un dato interesante

Cerca de 90 % de los productos que se fabrican son transportados en barcos, los cuales son los que menos carbono emiten a la atmósfera (14 gramos de bióxido de carbono por tonelada de carga).

Fuente: Organización Mundial de Comercio, "Los problemas mundiales no se arreglan con soluciones unilaterales; debemos centrarnos en Copenhague", 26 de junio de 2009. www.wto.org/spanish/news_s/archive_senvir_arc_s.htm

Aprendamos más

Al igual que los juguetes, muchos otros productos muestran en sus etiquetas los países que están relacionados en el proceso, desde el diseño, fabricación y armado de partes, hasta la venta y compra de un mismo producto. Sin embargo, la participación es desigual, pues nunca será lo mismo vender la fórmula química de un medicamento que la caja donde se guarda.

El ser humano transforma los recursos naturales a través de la actividad industrial, para generar productos o servicios que posteriormente consume. Sin embargo, para que lo producido pueda consumirse, es necesario el comercio, actividad que consiste en intercambiar productos o servicios mediante su compra o venta, al interior de un país o entre países.

Para que el comercio tenga éxito son necesarios la publicidad y los medios de transporte poco costosos. La primera sirve para presentar y favorecer el consumo de los productos o servicios que se venden; y el segundo, para hacerlos llegar a quienes los consumen. Sin estos medios, la globalización no sería posible: un producto que se fabrica en Corea, como un aparato de sonido, jamás se conocería ni vendería en México.

Dentro de la globalización no todo se comercializa, sólo aquellos productos y servicios que permiten generar mayor riqueza; por ejemplo, los productos derivados del hierro, los químicos o el petróleo. Algunos productos tienen más valor que otros en el mercado internacional; los más caros son los transformados artesanal o industrialmente, llamados manufacturas.

❖ En la avenida Times Square, en Nueva York, existen numerosas casas de bolsa donde se decide el valor de productos y servicios que se generan en regiones muy alejadas unas de otras.

❖ China, además de exportar mano de obra a otros países, es un importante generador de tecnología.

Exploremos

Para identificar las principales regiones y países que venden los productos de mayor valor comercial, hagan lo siguiente:

Organicen siete equipos y cada uno elija una región de la tabla.

Elaboren en su cuaderno, gráficas de barras que representen el porcentaje respecto a todas las exportaciones de la región, de cada mercancía que vende la zona que seleccionaron. El eje X será para las mercancías o productos y el eje Y representará los porcentajes. Observen el ejemplo de la gráfica de la siguiente página a nivel mundial.

Exportaciones mundiales de mercancías, en porcentaje por regiones (2007) *								
		Región						
	Mundo	América del Norte	América del Sur y Central	Europa	Comunidad de Estados Independientes (CEI)	África	Medio Oriente	Asia
Productos agrícolas (maíz y trigo)	8.3	9.6	25.1	9.0	7.6	8.1	2.5	5.6
Combustibles (gas natural, carbón y petróleo)	15	9.3	23.7	6.8	56.7	61.3	73.0	6.6
Productos de las industrias extractivas (minerales)	4.5	4.6	7.5	3.7	8.8	8.4	1.4	3.8
Hierro y acero	3.5	1.5	3.9	4.0	8.9	2.2	0.6	3.7
Productos químicos (farmacéuticos y fertilizantes)	10.9	10.8	6.0	15.3	5.4	3.1	5.7	7.6
Equipo para oficina y telecomunicaciones (computadoras, televisores)	11.1	11.0	1.3	7.0	0.2	0.6	2.2	23.2
Productos de la industria automotriz	8.7	11.9	4.2	11.3	1.5	1.3	1.3	7.0
Textiles	1.7	0.9	0.7	1.6	0.4	0.5	0.9	3.0
Prendas de vestir	2.5	0.6	2.5	2.1	0.3	2.7	0.7	4.8
Total	69.8	72.2	30.9	78.6	25.1	18.8	21.0	81.6

* Organización Mundial de Comercio (OMC), *Cuadernillo de estadísticas del comercio internacional*, 9ª edición, Ginebra, 2008.

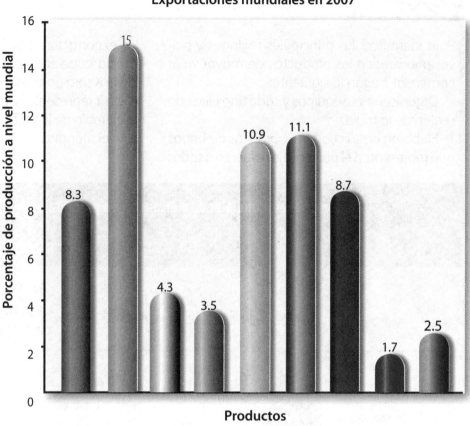

Exportaciones mundiales en 2007

Encierren en un círculo la mercancía o tipo de producto que más vende su región.

Inventen un símbolo para ese producto y dibújenlo en una hoja blanca.

Busquen en las gráficas de las páginas 69 a 75 de su *Atlas de Geografía Universal*, los países que se destacan en la elaboración de ese producto. ¿Qué país produce más la mercancía que le tocó a su equipo?

En grupo, realicen un solo mapa mural. Con colores distingan los países de cada región de la tabla y dibujen o peguen el símbolo de cada producto sobre el país que destaca en su comercialización. Pueden guiarse con los mapas de la página 78 de su Atlas y el de regiones geográficas de la siguiente página.

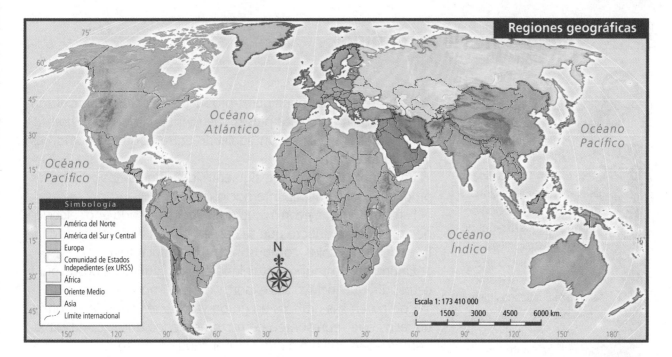

Regiones geográficas

Un integrante de cada equipo, usando las gráficas de barras y el mapa mural, explicará al resto del grupo los productos que más vende la región que trabajaron.

Entre todos decidan cuál es el país y la región que gana más con sus ventas o exportaciones, y cuál es el país y región que gana menos. ¿Por qué sucede así?

◆ Esta planta exporta productos textiles a toda América Latina y pertenece a la industria algodonera en Massachusetts, Estados Unidos.

Apliquemos lo aprendido

❖ Consulta en...

Dentro de la página oficial de la Organización Mundial de Comercio existen videos introductorios que explican la necesidad del comercio internacional, sus conflictos, la función de la institución que lo regula y algunas de sus características generales. El más recomendable es "Las rutas del comercio" que puedes consultar en la página: http//:www.wto. org. Debes elegir el idioma "español", luego entrar a la página "Estudiantes", ahí verás la lista donde aparece este título.

Ya identificaste los principales productos que se comercializan internacionalmente y los países que más los venden o exportan, investiga ahora si existe un equilibrio entre países compradores y vendedores.

En la tabla de la página siguiente identifiquen los principales productos del comercio internacional.

Formen equipos y con ayuda de su maestro, cada uno seleccione un tipo de producto que se comercializa a nivel internacional (productos agrícolas, combustibles o manufacturas).

En una hoja tamaño carta elaboren una gráfica de pastel para cada país, que incluya sus exportaciones e importaciones.

Comparen sus gráficas en grupo y coloquen sobre el pizarrón aquellas que representen correctamente los datos de la tabla. Comprueben que haya gráficas por cada producto.

Observen la gráfica de porcentajes de Italia.

Italia

■ Exportaciones

■ Importaciones

Principales exportadores e importadores mundiales de mercancías (2007)

Valor monetario de los principales productos que se comercializan a nivel internacional (2007) *					
País	Actividad	Productos agrícolas	Combustibles (incluye el carbón, petróleo y gas natural)	Manufactura	Total
		Miles de millones de dólares			
Estados Unidos	Exporta	113.5	41.9	909.4	1064.8
	Importa	109.4	372.2	1409.6	1891.2
China	Exporta	38.8	19.9	1134.8	
	Importa	65.2	104.9	677.6	
Japón	Exporta	7.5	9.2	640.9	
	Importa	68.9	172.8	314.4	
México	Exporta	15.6	42.4	204.2	
	Importa	21.9	19.4	227.9	
Federación Rusa	Exporta	23.5	225.3	69.0	
	Importa	26.9	2.7	185.6	
Filipinas	Exporta	3.2	1.2	43.5	
	Importa	4.3	10.0	41.8	
Túnez	Exporta	1.5	2.4	10.6	
	Importa	2.3	2.4	13.5	
Rep. Dominicana	Exporta	--	--	6.2	
	Importa	1.7	3.2	8.8	
Arabia Saudita	Exporta	--	205.8	24.8	
	Importa	12.4	--	72.3	

* Comercio de mercancías, por productos. Documento de la Organización Mundial de Comercio (OMC o WTO, en inglés, 2008).

Recorten las gráficas que elaboraron y colóquenlas sobre los países que representan, en un planisferio como el siguiente. Finalmente, completen el cuadro de simbología con los colores que eligieron.

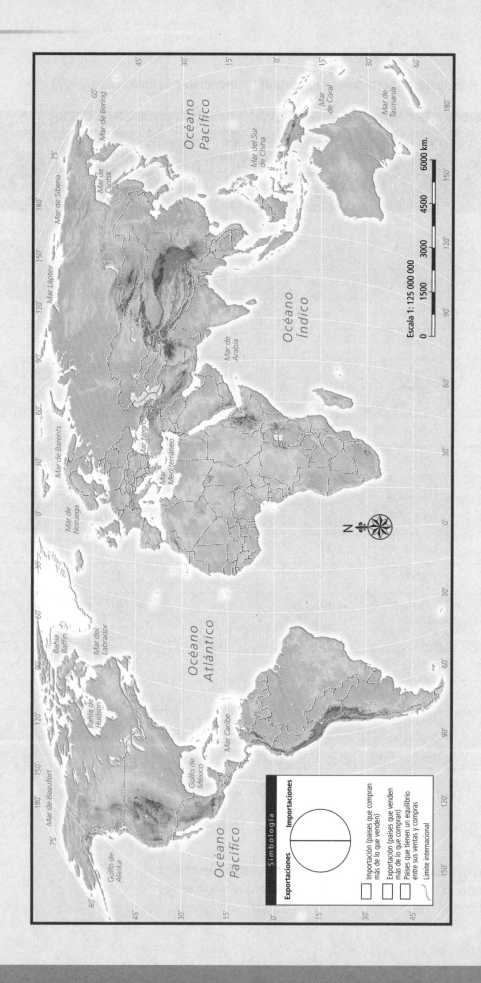

Océano Pacífico

Mar de Bering

Mar de Siberia

Mar de Ojotsk

Mar Láptev

Mar de Barents

Mar de Noruega

Mar del Sur de China

Mar de Coral

Mar de Tasmania

Océano Índico

Mar de Arabia

Mar Negro

Mar Mediterráneo

Escala 1: 125 000 000

0   1500   3000   4500   6000 km.

Océano Atlántico

Bahía Baffin

Mar del Labrador

Bahía de Hudson

Mar de Beaufort

Mar Caribe

Golfo de México

Golfo de Alaska

Océano Pacífico

N

Simbología

Exportaciones

Importaciones

Importación (países que compran más de lo que venden)

Exportación (países que venden más de lo que compran)

Países que tienen un equilibrio entre sus ventas y compras

Límite internacional

En grupo, respondan: ¿cuál de los tres tipos de productos es indispensable que tenga un país para que su población sobreviva?, ¿por qué? ¿qué países tienen condiciones menos favorables para competir en el comercio internacional?

Comparen su selección con el resto del grupo. Identifiquen las diferencias y argumenten por qué ustedes seleccionaron ciertos países y no otros.

❖ Las grúas de carga son indispensables para mover los contenedores en cualquier puerto o embarcadero en donde llegan o salen los productos que se comercian en el mundo.

❖ El principal medio de transporte de los productos que se comercian de forma internacional son los barcos, como éste que lleva productos de Asia a América.

Los recursos naturales que tiene un país no siempre son suficientes para el desarrollo de su economía (como ocurre con Japón), por eso vende internacionalmente aquello que produce, de modo que con las ganancias puede generar las actividades que permitan cubrir las necesidades de su población; también compra a otros países los productos o servicios con los que no cuenta.

Todo lo anterior ocurre sólo si tiene los productos o servicios que se demandan en el mercado internacional y no aquellos que tienen poco valor comercial, como ocurre con muchos productos agrícolas como el maíz o el arroz, que aunque son productos básicos para la alimentación, no son los más pedidos en el comercio mundial, porque los países más ricos, los que más compran, tienen cubiertas sus necesidades alimentarias.

Para que comprendas todo lo que ocurre entre el elemento natural, la venta y el consumo de un producto o servicio, trataremos este tema con detalle en la siguiente lección.

❖ Luego de recibir los productos en los puertos, éstos se distribuyen por tierra a través de ferrocarriles y camiones. Aquí vemos los ferrocarriles en Vancouver que transportan la mercancía al interior de Canadá.

Recibidos

Redactar

Archivar   Marcar como   Eliminar   Mover a   Etiquetar

Recibidos
Enviados
Borradores
Eliminados
Plantillas

Hola, Jorge:

Te saludo desde Brasil, vivo en el estado de Minas Gerais, en el sureste del país. Es un lugar bonito y montañoso, donde se concentra la mayor producción de café del mundo. ¿Te gusta el café? Por las tardes les ayudo a mis abuelos a cosechar los frutos del café, me gusta ir a la planta donde lo descascaran y tuestan, ¡huele riquísimo! En otro lugar lo empaquetan y lo distribuyen a otros lugares de mi país y del mundo, hasta que llega a la mesa de las personas.

En la semana, platicando de mi experiencia en el salón de clases, mi maestra me dijo que ese era un buen ejemplo de cadena productiva, ¿cómo ves? Antes hubiera pensado que una cadena productiva es la fila de máquinas unidas por una cadena, pero no es así. ¿Tú qué te imaginabas que era una cadena productiva? Te envío una foto de un sembradio de café.

Ahora que nos veamos te llevo café para ti y tus papás. Estoy emocionada por conocer tu país, México.

Saludos
Teresa

↩ Responder   → Reenviar

¿QUÉ PAÍSES VENDEN Y CUÁLES COMPRAN?

❖ Con el estudio de esta lección explicarás las cadenas productivas de diferentes bienes y mercancías.

Comencemos

Los productos con los que te alimentas o que utilizas, como el café, tu ropa, tu lápiz o la comida enlatada, provienen de la naturaleza y pasaron por varios procesos para llegar a tus manos. Lee el correo electrónico y comenta con tus compañeros cómo consideras que es el proceso de elaboración del café.

Anota en las imágenes siguentes, el número que corresponde a la etapa de la cadena productiva que está representada.

Actividad

Selecciona un producto que consuman en tu casa.

En el siguiente esquema dibuja, en el recuadro del centro, el producto que escogiste, después, completa el resto de los cuadros con la información que se te pide.

Traza las flechas de acuerdo con la secuencia de la cadena productiva.

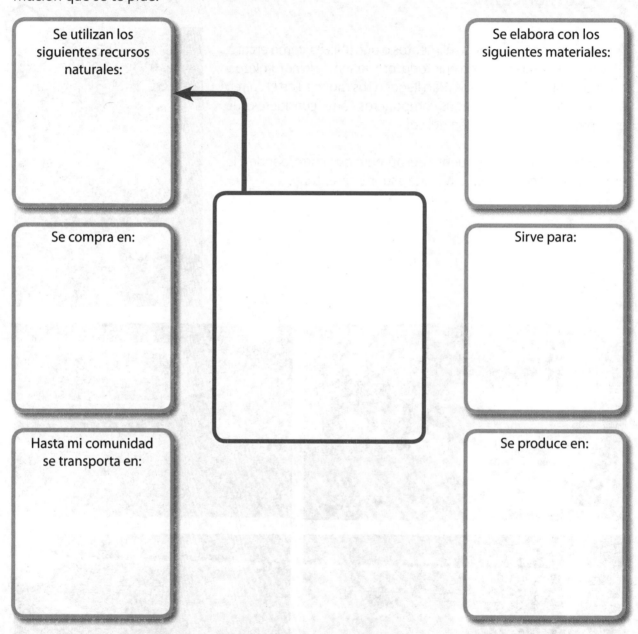

Se utilizan los siguientes recursos naturales:

Se elabora con los siguientes materiales:

Se compra en:

Sirve para:

Hasta mi comunidad se transporta en:

Se produce en:

Analiza tu esquema y determina a qué etapa de la cadena productiva corresponde cada recuadro (producción, transformación, distribución, comercialización y consumo). Luego, muéstrale tu diagrama a un compañero y explícale por qué organizaste las imágenes de esa manera.

Después de intercambiar sus puntos de vista, anoten en sus cuadernos qué entienden por etapas de la producción.

Aprendamos más

Gran parte de los productos que utilizas, como jabón, zapatos, cuadernos o libros, se fabricaron en distintas ciudades con materiales que probablemente provengan de lugares que están lejos del lugar donde vives. La producción, la transformación industrial, la distribución, la comercialización y el consumo, que son las etapas del proceso productivo, han permitido que esas mercancías lleguen a tus manos.

Las etapas de producción y transformación de las materias primas son las más complejas de la cadena, porque en ellas intervienen muchos factores, como el lugar donde se realizan y su impacto en el ambiente, así como la variedad de recursos y materias primas que se requieren, las herramientas, la maquinaria y la mano de obra que intervienen en su transformación (artesanal o industrial).

Los medios de transporte tienen un papel importante en la distribución, ya que sin ellos no podrían llegar los productos a muchos lugares.

❖ En India, las heces del ganado bovino se utilizan para elaborar jabones sin procesos industriales.

❖ Consulta en...

Consulta en HDT, los Videos-FLV: "La producción del envase de vidrio o Producción de café". HDT

❖ Proceso de producción de la miel.

La comercialización es el vínculo entre las diferentes etapas de la cadena productiva, porque se compran y se venden materias primas y mercancías manufacturadas. El intercambio comercial es el motor de la economía mundial, sin éste millones de consumidores de diversos países no podrían adquirir el bacalao que las embarcaciones noruegas capturan en el Mar del Norte, ni México podría vender plata y petróleo a otros países.

Al intercambio comercial que se realiza dentro de las fronteras de un país, se le llama comercio interior; si se lleva a cabo entre países o regiones, entonces se trata de comercio exterior.

❖ Los procesos de comercialización varían dependiendo de las condiciones económicas de la región, se pueden comprar al mayoreo (en gran cantidad) o al menudeo (en menor cantidad).

❖ Algunas etapas del proceso de producción de la leche.

Actividad

Realiza la siguiente actividad para entender la importancia de las etapas de un proceso productivo y la relación entre los lugares donde se produce y se consume un producto cualquiera.

Selecciona cinco productos (pueden ser alimentos empacados, útiles escolares, juguetes, ropa, calzado, aparatos electrónicos u otros) y asegúrate de que en la etiqueta o el sello se especifique el lugar donde fueron fabricados.

Para localizar esos lugares consulta tu *Atlas de Geografía Universal* y completa la tabla siguiente.

	Productos	¿De qué país o ciudad proviene?	¿Es un producto elaborado industrial o artesanalmente?	¿Dónde lo compraron?	¿Para qué sirve?
1					
2					
3					
4					
5					

Ahora responde las preguntas:
- ¿Qué entiendes por producción, transformación, distribución, comercialización y consumo? Redacta una explicación en tu cuaderno.

- ¿Por qué son importantes las relaciones comerciales entre las entidades del país y entre países?

Comenta tus conclusiones en grupo.

❖ Sinaloa, México. Algunos productos se conservan por mucho tiempo en bodegas, cuando es momento de comercializarlos se colocan en camiones o barcos para su transportación.

◈ En África, la extracción de oro, diamantes y otros minerales es la actividad económica más importante.

Necesitamos unos de otros

Dependiendo de sus características geográficas, cada región del planeta cuenta con ciertos recursos naturales. Algunos países tienen climas y relieve apropiados para cultivar cereales u obtener recursos maderables; otros disponen de extensas zonas de pastos para el ganado, y en algunos más abundan las cadenas montañosas de las que se extraen los minerales. Sin embargo, otros países cuentan con la tecnología para transformar las materias primas en productos que se adquieren a través del comercio para consumirlos o utilizarlos.

En la actualidad, las actividades industriales y comerciales son las mayores fuentes de riqueza para las naciones. Gracias al comercio, cada país obtiene de otros, los recursos naturales y las materias primas que necesita para su proceso productivo, de igual forma, para hacer llegar sus mercancías a los consumidores.

Exploremos

En las gráficas sobre producción manufacturera de la página 74 de tu *Atlas de Geografía Universal*, consulta cuáles son los cinco países que producen más acero, automóviles, cemento televisores, papel y cartón, y contesta: ¿con qué porcentaje participa cada uno?

Después, localiza esos países en un planisferio y dibuja en su territorio un símbolo correspondiente a cada una de las industrias en que destaca. Analiza los datos de tu mapa y responde:

¿En qué continente hay más países que destacan por su producción manufacturera?

¿Cuáles sobresalen porque desarrollan más de dos tipos de industria?

Elabora un texto sobre la importancia de los productos manufacturados en la vida diaria.

◈ Industria acerera en Corea del Sur.

◈ Industria de tubos de cartón en los Países Bajos.

Apliquemos lo aprendido

Las siguientes gráficas sobre importación y exportación muestran de dónde proviene lo que consumimos en México y a cuáles países enviamos lo que producimos.

Analiza la información de las gráficas y comenten en el grupo a qué país México le compra y le vende principalmente, y a qué consideras que se debe.

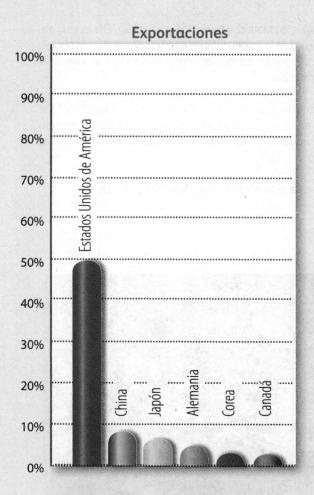

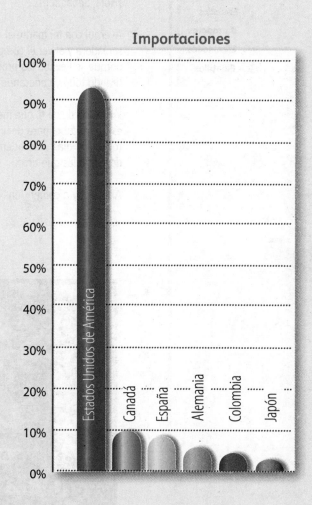

❖ Fuente: http://eco.wordbank.org

El proceso productivo genera una interdependencia económica entre los lugares donde se produce, se transforma, se distribuye, se comercializa y consume un objeto, aun cuando estos lugares pertenezcan a continentes distintos con niveles de desarrollo diferentes, como México y Estados Unidos.

En equipos, elijan un país con el que comercia México e investiguen qué productos exporta e importa.

Presenten al grupo su investigación.

BUSCAR

Redactar

Archivar Marcar como Eliminar Mover a Etiquetar

Recibidos
Enviados
Borradores
Eliminados
Plantillas

¡Hola, Sebastián!

Ayer fui con mi madre al corte inglés, en Madrid, y había una gran barata. Ella es muy observadora y al ver el comportamiento de la muchedumbre, me dijo: ¡No se mide la gente!, porque se llevaba los productos sólo porque estaban en oferta. Ni duran y van a terminar tirando todo y generando contaminación.

Y me acordé de ti, que me preguntaste: ¿Para qué compras eso si te va a hacer daño? Por eso te escribo, para decirte que me puse a pensar en las golosinas y sodas que compro todos los días, que además me engordan, y en tantas envolturas de dulces y botellas desechables que tiro.

Ahora voy a comer unas ricas uvas que tomé del viñedo de mi tío, ¡a tu salud!

Jimena

↩ Responder → Reenviar

SOCIEDADES DE CONSUMO

❖ Con el estudio de esta lección compararás las características del consumo en diferentes países y en tu medio local.

Comencemos

Lee el correo electrónico de Jimena y observa las imágenes. Comenta al grupo sobre las reflexiones que están en él y las que tú haces acerca de lo que observaste. Reflexiona sobre tu consumo responsable.

Actividad

Observa las siguientes imágenes y elabora dos listas en tu cuaderno; en una anota los objetos que consideres básicos y en la otra los superfluos o innecesarios.

Lee tu lista al grupo y explica a tus compañeros por qué clasificaste así los productos. Al terminar, anota las acciones que realizarías con relación a las dos listas sobre tu consumo responsable y comparte tu texto con el grupo.

Aprendamos más

◆ En algunos países no está penado el abuso y desperdicio del agua.

◆ En otros países el agua escasea a tal grado que cuando llueve se almacena y aprovecha el recurso al máximo.

El consumo de bienes y servicios es necesario y en algunos casos indispensable para satisfacer las necesidades humanas. Sin embargo, cuando hay un consumo excesivo o se compran o consumen productos sin reflexionar, el consumo deja de ser responsable.

¿Te has preguntado, al seleccionar un producto, cuánto durará, qué harás con él cuando ya no lo necesites? Entre los criterios para saber si tu consumo es responsable, puedes considerar el ahorro y el cuidado ambiental. El primero te permite valorar la durabilidad. El segundo te permite reflexionar sobre el impacto del producto en el ambiente, si es biodegradable o se puede reciclar.

Un consumo que deja de ser responsable provoca, entre otras cosas, un deterioro ambiental, ya que se provoca extracción indiscriminada de los recursos naturales; además genera nuevas necesidades que inducen a las personas a comprar productos que tal vez no requieran: cámaras fotográficas, pantallas, aditamentos a teléfonos celulares, etcétera.

Los habitantes de los países con mayor progreso económico están clasificados en la categoría de consumistas. Se calcula que 80 % de ellos conforman la sociedad de consumo, que se caracteriza por obtener mayores satisfacciones al consumir productos innecesarios. El consumo excesivo fomenta el uso inmoderado del crédito, principalmente por medio de tarjetas, provocando así que buena parte de la población viva endeudada, pues sus deudas rebasan sus ingresos.

Aun los bienes y productos que son necesarios para vivir, si son consumidos en exceso, provocan necesidades llamadas "creadas", es decir, que en realidad una familia o una comunidad puede vivir bien sin ellas, pero la costumbre les ha hecho creer que son necesarias. ¿Hay productos básicos que tu familia consume en exceso? ¿Cuáles? Reflexionen en grupo sobre ello.

◆ En el mercado hay gran variedad de comestibles cuyo precio es alto en relación con los nutrimentos que aportan, de modo que su consumo frecuentemente ocasiona sobrepeso, obesidad y caries.

Exploremos

Comprueba la siguiente afirmación con las actividades indicadas.

"El automóvil es un indicador del consumo en un país desarrollado. En Europa Occidental, Japón, Australia, Estados Unidos y Canadá hay un automóvil por cada dos o tres habitantes".

Identifica en las páginas 74 y 75 de tu *Atlas de Geografía Universal* las siguientes gráficas: producción de automóviles, televisores y energía eléctrica.

Consulta en la primera lección de este bloque cuántos de los países indicados en la gráfica corresponden a los países con elevado desarrollo económico. ¿Cómo consideras que es el consumo en estos países?

Obtén tus conclusiones y compártelas con tu grupo.

❖ Tráfico en la carretera.

Un dato interesante

Cerca de 15% de la población mundial que vive en los países de altos ingresos es responsable del 56% del consumo total del mundo, mientras que el 40% más pobre, en los países de bajos ingresos, es responsable solamente del 11% del consumo.
Fuente: Departamento de Información Pública de las Naciones Unidas, "Modelos de consumo y producción. El problema",
www.un.org/spanish/conferences/wsd/modelos-ni.htm

Publicidad y sociedades de consumo

Los medios de comunicación influyen de manera decisiva en los gustos y los hábitos de las personas; por ello, es importante que veas críticamente los anuncios publicitarios y reflexiones sobre la veracidad de la información contenida en las imágenes. Así podrás determinar si contribuyen al consumo responsable o al excesivo.

❖ Los medios de comunicación, especialmente la televisión, difunden modelos de vida que imitan algunos niños.

Actividad

Este ejercicio te servirá para distinguir y seleccionar entre la variedad de productos que se ofrecen en el mercado y decidir en forma razonada qué comprar para no dejarte inducir por la acción publicitaria.

Consulta la actividad realizada en el bloque II, tema 1, de tu libro de Ciencias Naturales. Con tu grupo, reflexiona y comenta acerca de tu responsabilidad como consumidor.

Necesitas llevar a la clase una revista o un periódico que contenga anuncios publicitarios.

Escoge uno de los productos que aparecen en la revista o periódico que trajiste y busca los anuncios que se refieran al consumo ofrecido en distintas marcas.

Observa con atención el texto y las imágenes de los anuncios.

Fíjate en la presentación del producto, el color y los elementos que están a su alrededor. Ahora contesta la siguiente pregunta: ¿en cuál o cuáles de los anuncios, la imagen te permite identificar para qué sirve el producto?

De acuerdo con la información que te proporcionan los anuncios, ¿cuál comprarías? ¿Por qué? ¿Contribuyen al consumo responsable? ¿Por qué? ¿Contribuyen al consumo irresponsable? ¿Por qué?

Anota tus conclusiones en el cuaderno y compártelas con el grupo.

❖ El alimento que más se consume en México es la tortilla.

❖ A través de los medios impresos, llegan hasta nosotros los anuncios publicitarios de diversos productos que influyen en nuestra decisión para adquirirlos o comprarlos.

Apliquemos lo aprendido

Para determinar si tu comunidad practica el consumo responsable, investiga qué tipo de productos se utilizan o se consumen y con qué frecuencia. Divídanse en equipos y cada uno elija un tema a investigar, por ejemplo, consumo en el hogar (detergentes, energía eléctrica, gas, alimentación, ropa y calzado). Con ayuda de su maestro, redacten preguntas como las siguientes:

Alimentos

¿Qué tipo de alimentos consumen con mayor frecuencia?

☐ Alimentos frescos

☐ Alimentos empacados o enlatados

☐ "Comida rápida"

¿Qué tipo de agua consumen principalmente para beber?

☐ Agua en envase desechable

☐ Agua de la llave

☐ Agua hervida

☐ Agua de botellón o filtro

Cada integrante del equipo aplique tres encuestas a personas adultas de la comunidad. Al terminar, clasifiquen las respuestas que obtuvieron, de acuerdo con los indicadores y frecuencias, y elaboren una gráfica por cada pregunta, como la que aparece enseguida:

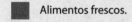

¿Qué tipos de alimentos consume?

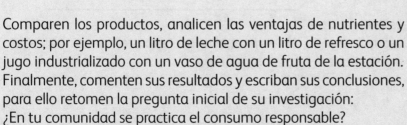

■ Alimentos frescos.

■ Alimentos empacados o enlatados.

■ "Comida rápida".

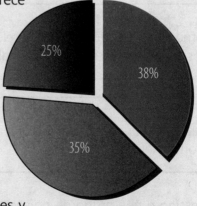

Comparen los productos, analicen las ventajas de nutrientes y costos; por ejemplo, un litro de leche con un litro de refresco o un jugo industrializado con un vaso de agua de fruta de la estación. Finalmente, comenten sus resultados y escriban sus conclusiones, para ello retomen la pregunta inicial de su investigación:
¿En tu comunidad se practica el consumo responsable?

Lo que aprendí

Lee el siguiente diálogo de Melina y Fernanda, y contesta las preguntas.

M: Mira el celular que me regaló mi mamá.

F: ¿Cuánto le costó?

M: Como mil quinientos pesos.

F: ¿Por qué te dio un objeto tan caro? Con ese dinero comemos durante un mes, es la mitad del salario de mi papá.

M: Me lo regaló porque cada año a ella le dan uno nuevo en su trabajo. Es de Japón. Es digital, tiene radio y cámara.

F: ¿Cómo sabes que es de Japón y cómo llegó desde ese país a tus manos?

M: Porque en el teléfono dice "hecho en Japón y ensamblado en Estados Unidos". Además, mi mamá me explicó que es comercializado por una empresa mexicana.

F: ¿Para qué necesitas un teléfono celular?

¿Dónde buscarías información para saber cuál es el nivel de desarrollo de los países mencionados en el diálogo anterior?

_____

¿Cómo se encuentra México en relación con estos dos países? Escribe tu opinión al respecto.

_____
_____

¿Guatemala puede ser un país que produce y exporta teléfonos celulares?

_____

Investiga a qué grupo de países pertenece Guatemala de acuerdo con su desarrollo económico y qué características tienen esos países con relación al comercio. Escríbelo.

_____
_____
_____

Dibuja en tu cuaderno las etapas de producción de otro producto diferente al que mencionaron Melina y Fernanda.

Considera el costo del teléfono celular, el salario del papá de Fernanda y la última pregunta de ella. De acuerdo con estos datos, escribe la importancia de tener un consumo responsable.

_____
_____

Al terminar el reto, comparte tus respuestas con tus compañeros.

Mis logros

Realiza la lectura, recuerda lo que aprendiste en este bloque y encierra en un círculo el inciso que responde correctamente cada pregunta.

El calentamiento de las aguas amenaza los medios de vida en Belice*

En circunstancias normales, San Pedro es uno de los lugares turísticos más prósperos, repleto de extranjeros que buscan aventuras y deportes submarinos en los arrecifes cercanos, pero este año el turismo disminuyó. Las causas se atribuyen a la crisis económica mundial, pero principalmente a que los arrecifes coralíferos están muriendo.

Y es que la constante reducción de los arrecifes vivos, a lo largo de las costas del Caribe, provoca estragos no sólo en el turismo. Por ejemplo, los 2 200 pescadores del país podrían ver sus medios de vida en peligro, ya que al desaparecer el hábitat, también se reduce la cantidad de peces. Además, aumentarían las probabilidades de desastres por huracanes más fuertes, dado que literalmente se erosiona la protección proporcionada por los arrecifes coralíferos.

"Este año, la actividad comercial se ha reducido en 60%, en comparación con lo que ocurría hace tres a cinco años", dice Andrés Paz, un guía de turismo. Andrés y su colega, Roberto Zelaya, piensan que el cambio climático es la causa.

La industria del turismo en Belice emplea a 15 mil personas, en su mayoría madres solteras.

* UNFPA (Fondo de Población de las Naciones Unidas), "El calentamiento de las aguas amenaza los medios de vida en Belice", en *El estado de la población mundial 2009*, ciudad Dinamarca, 2010, p. 17.

1. Belice, aunque es un país subdesarrollado, tiene una característica socioeconómica seme-jante a la de los países desarrollados, ésta es:

   a) Concentra la mayor cantidad de empleos en el sector terciario o de servicios.
   b) Tiene una industria pesquera altamente tecnificada y desarrollada.
   c) Impulsa campañas sociales para la protección y el equilibrio ambiental.
   d) Genera empleos bien remunerados para mujeres.

2. ¿Cuál de las actividades mencionadas en la nota, fomenta la globalización económica des-de Belice?

   a) La protección a los arrecifes coralinos.
   b) La pesca y la prevención frente a los huracanes.
   c) El turismo y el comercio.
   d) El deporte submarino y la búsqueda de aventuras.

3. Una cadena productiva que se menciona en la nota es:

   a) La búsqueda de aventuras y los deportes submarinos con la existencia de los arrecifes coralinos.
   b) El deterioro del arrecife coralino reduce el turismo, la actividad comercial y afecta las con-diciones de empleo de los beliceños.
   c) El comercio de artesanías y de artículos deportivos genera empleos suficientes para las mujeres beliceñas.
   d) La pesca, el comercio de artículos deportivos y el turismo de aventura.

4. Son indicadores que nos permiten identificar fuertes contrastes entre países como Estados Unidos, Japón, Suiza, Haití y Somalia:

   a) La suma de la cantidad de producción agrícola e industrial de un país a lo largo de un año.
   b) El número de personas empleadas y desempleadas entre los 15 y 60 años de edad.
   c) La cantidad de ingresos generada por las actividades terciarias o de servicios como el turismo, el comercio y las finanzas.
   d) La suma de ingresos generados por todas las actividades económicas del país y la división de esos ingresos entre los habitantes de un país.

5. Dentro del comercio internacional, una característica que distingue a los países desarrolla-dos del resto del mundo es que:

   a) Los países más desarrollados importan y exportan gran cantidad de materias primas sin transformar y manufacturas.
   b) Los países no desarrollados exportan mucho más manufacturas que materias primas o productos sin transformar, como el petróleo.
   c) Los países no desarrollados exportan mayor cantidad de materia prima sin transformar que productos manufacturados.
   d) Los países en desarrollo exportan enormes cantidades de energéticos.

6. Es característica del consumo no responsable:

   a) La compra de alimentos, tales como granos básicos, frutas, golosinas.
   b) La generación de necesidades que provocan la sobreexplotación de los recursos naturales.
   c) La compra excesiva de productos básicos, como refrescos, ropa, autos, perfumes, entre otros.
   d) La compra de productos frescos como fruta, verdura o carne dos o tres veces a la semana.

Autoevaluación

Es tiempo de que evalúes lo que has aprendido en este bloque. Lee cada enunciado y marca con una palomita (✓) el nivel que hayas alcanzado.

Aspectos a evaluar	Lo hago bien	Lo hago con dificultad	Necesito ayuda para hacerlo
Localizo los países con mayor y menor desarrollo económico.			
Identifico las diferencias en el desarrollo económico entre países, con base en indicadores como PIB y PIB per cápita.			
Analizo datos para comparar la participación de diferentes países en el proceso de globalización económica.			
Explico qué son las cadenas productivas a partir de las etapas de producción de diferentes bienes y mercancías.			
Comparo las características del consumo de diferentes países.			

Escribe una situación en la que apliques lo que aprendiste, hiciste e investigaste en este bloque.

_____

_____

Aspectos a evaluar	Siempre	Lo hago a veces	Difícilmente lo hago
Reflexiono acerca de las condiciones sociales y culturales que influyen en el tipo de consumo.			
Reflexiono en la posición de México con relación al desarrollo económico de los demás países.			
Soy responsable al seleccionar productos que consumo diariamente.			
Reflexiono sobre las desigualdades de desarrollo socioeconómico entre países y sociedades.			

Me propongo mejorar en: _____

BLOQUE V

Retos locales en el contexto mundial

Imagen del centro de la ciudad de Copenhague, Dinamarca.

Recibidos

Redactar

Archivar Marcar como Eliminar Mover a Etiquetar

Recibidos
Enviados
Borradores
Eliminados
Plantillas

Hola, Lety:

¿Puedes creer que esta imagen sea de un país con buena calidad de vida?

Mi tía Rosa que vive en California me dijo que Estados Unidos es considerado un país con alta calidad de vida, porque muchas personas tienen un ingreso que les permite cubrir sus gastos y ahorrar, las viviendas poseen todos los servicios básicos, la mayoría de las personas saben leer y escribir, además, su esperanza de vida es alta; es decir, viven 77 años en promedio. Aunque también me comentó que es de los países que más contamina, pues cada año lanzan grandes cantidades de dióxido de carbono que se produce en la industria y los automóviles.

Lamentablemente no toda la población estadounidense goza de estas condiciones; hay personas con baja calidad de vida como en la imagen, que pudieran representar la calidad de vida de países enteros como Burundi en África.

¿Tú que piensas de los contrastes de las condiciones de vida de las personas en todo el mundo? Respóndeme y, si sabes de más casos, platícamelos.

Un cordial saludo

Marco Antonio

↩ Responder → Reenviar

LA CALIDAD DE VIDA

❖ Con el estudio de esta lección compararás la calidad de vida en diferentes países y en el medio local.

Comencemos

En el correo electrónico, Marco Antonio le comentó a Lety cómo es la calidad de vida en Estados Unidos. En grupo comenten el tipo de calidad de vida del lugar donde viven y qué características necesitarían para mejorarlo.

Actividad

Reúnete con un compañero y observen las siguientes imágenes.

¿Qué contrastes encuentran entre ambas imágenes? Anota en una lista todos los elementos que marquen las diferencias.

¿Cómo piensan que es un día de clases en cada una de las escuelas? Anoten sus ideas.

¿Encuentras algunas similitudes con tu escuela o el lugar en donde vives?, ¿cuáles?

Compartan sus comentarios con el resto del grupo.

❖ Escuela de Uganda, en África.

❖ Escuela de Cusco, en Perú.

Aprendamos más

◈ Las ferias de libros más importantes del mundo se celebran no sólo en países con un alto nivel económico, sino en países que han desarrollado un alto nivel cultural y educativo. Por ejemplo, la feria del libro de Washington, Estados Unidos.

La producción industrial y el crecimiento económico eran en el pasado los únicos elementos considerados necesarios para que una sociedad alcanzara una buena calidad de vida. Sin embargo, ahora el desarrollo de los países no sólo obedece a factores económicos, sino que incluye otros elementos: culturales, políticos, educativos, el avance de la ciencia y la tecnología, entre otros.

Calidad de vida

Hace unas décadas, el bienestar de una población se medía sólo con base en el ingreso económico. Recientes estudios económicos y sociales demostraron que la verdadera riqueza de las naciones descansa en sus habitantes, de modo que una nación podrá acumular más riqueza si sus habitantes son capaces de desarrollar su potencial, ser productivos y aportar su creatividad. También se consideran los progresos generales de un país partiendo de ciertos componentes básicos del desarrollo humano, como la esperanza de vida, el nivel educativo y el nivel de vida; los dos últimos reflejan el acceso que tiene la población a la alimentación y la vivienda.

En la actualidad, para conocer el nivel de calidad de vida de una población y hacer comparaciones entre los países, se consideran algunos indicadores como alimentación, educación, salud, vivienda y calidad del ambiente.

◈ Dimítri Medvédev, presidente de Rusia, en la presentación de un programa educativo en su país.

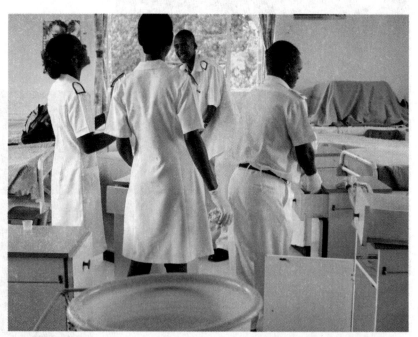

◈ Existen diferentes factores que diagnostican la calidad de vida de un país: la educación, la salud y la economía, son algunos ejemplos.

Exploremos

Las siguientes tablas muestran los cuatro primeros países que ocupan los niveles alto, medio y bajo de calidad de vida. Con base en esta información, haz lo que se pide.

Calidad de vida alta		Ingreso per cápita (en dólares)	Alfabetismo (% del total de la población)	Esperanza de vida (en años)	Emisiones de dióxido de carbono (% del total)	Servicios básicos (% en los hogares)
1	Noruega	$ 66 530.00	100%	79	menos del 1%	100%
2	Suiza	$ 57 230.00	100%	81	menos del 1%	100%
3	Dinamarca	$ 51 700.00	100%	77	menos del 1%	100%
4	Estados Unidos	$ 44 970.00	100%	77	22%	100%

Calidad de vida media						
71	Hungría	$ 10 950.00	100%	72	menos del 1%	95%
72	México	$ 7 070.00	92%	75	1.5%	79%
73	Brasil	$ 4 730.00	89%	72	1%	
74	Argelia	$ 1 980.00	99%	64	0%	

Calidad de vida baja						
162	Níger	$ 260.00	29%	54	0%	
163	Ruanda	$ 240.00	65%	43	0%	42%
164	Togo	$ 350.00	53%	58	0%	35%
165	Burundi	$ 100.00	59.3%	47	0%	36%

Dibuja un planisferio en tu cuaderno. Colorea con color verde los países que tienen una calidad de vida alta, con amarillo los de calidad de vida media y con rojo los de baja calidad de vida.

¿En qué continente se localiza la mayoría de los países con la calidad de vida más alta?

¿En qué continente se concentran los países con baja calidad de vida?

¿En qué nivel se encuentra México?

En grupo, comparen el nivel de calidad de vida de Noruega y Burundi, y contesten: ¿cómo consideran que se refleja esa diferencia en la forma de vida de las personas?

◈ Toronto, Canadá. La educación es fundamental para el desarrollo de un país.

◈ Escuela clandestina para niñas en Herāt, Afganistán.

En el mundo existen grandes contrastes en los niveles de bienestar que se reflejan en la calidad de vida de la población. Por ejemplo, algunos países y regiones cuentan con servicios de lujo que podrían considerarse innecesarios, como estéticas y agencias de viajes para mascotas; por otro lado, hay países que carecen hasta de un dispensario que cuente con vacunas y medicinas básicas.

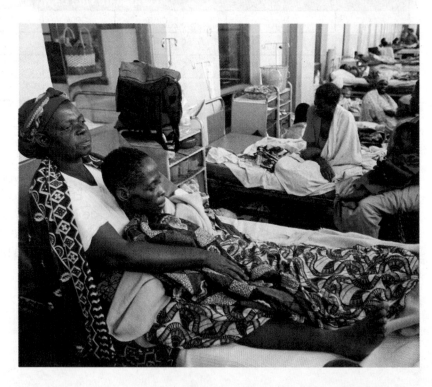

◈ Hospital Central Kamazu, en Malawi.

Los países más "verdes"

Los habitantes de países con un mejor nivel económico se caracterizan por alcanzar un grado de estudios más elevado, pero esto no garantiza que puedan disfrutar de una mejor calidad de vida, ya que necesitan lograr una convivencia armónica con el ambiente. Una buena calidad de vida también depende de las condiciones ecológicas de un lugar y del esfuerzo de sus habitantes por mantener un equilibrio entre lo natural y lo social.

Los países "verdes", como Finlandia, Islandia y Noruega —que ocupan los primeros lugares del mundo—, y de América, Uruguay —con el noveno lugar— son naciones que han realizado más esfuerzos para conservar el ambiente y poner en marcha estrategias de prevención del deterioro ambiental, como las que muestran las imágenes.

❖ Basura separada en orgánica e inorgánica, Suecia.

❖ Ceibas, hotel ecológico en Tulum, México.

❖ Turbinas de viento en Alemania.

❖ Páneles solares en Viena, Austria.

Actividad

Observa las dos últimas columnas de la tabla de la página 151 y marca con color verde los países verdes, compara sus datos sobre el uso de energías renovables y la emisión de dióxido de carbono con los otros países, argumenta por qué se les considera países "verdes". Marca con otro color los países que consideres menos "verdes" y comenta en tu grupo por qué.

◈ Páneles solares y molinos de viento en Ueida, Cataluña, España.

Apliquemos lo aprendido

Como en el mundo, México también presenta diferencias en la calidad de vida de sus entidades. Observa la siguiente tabla, en ella identificarás el nivel de calidad de vida de las entidades en nuestro país.

Tabla sobre calidad de vida de las entidades de México		
Entidad	**Nivel de calidad de vida**	**Lugar**
Aguascalientes	Alto	5
Baja California	Medio alto	4
Baja California Sur	Medio alto	9
Campeche	Medio bajo	10
Coahuila	Alto	3
Colima	Medio alto	11
Chiapas	Bajo	32
Chihuahua	Medio alto	7
Distrito Federal	Alto	1
Durango	Medio bajo	15
Estado de México	Medio alto	16
Guanajuato	Medio bajo	24
Guerrero	Bajo	30
Hidalgo	Medio bajo	28
Jalisco	Alto	14
Michoacán	Medio bajo	27
Morelos	Medio alto	17
Nayarit	Medio alto	20
Nuevo León	Alto	2
Oaxaca	Bajo	31
Puebla	Medio bajo	25
Querétaro	Medio alto	13
Quintana Roo	Medio alto	6
San Luis Potosí	Medio bajo	21
Sinaloa	Medio alto	18
Sonora	Medio alto	8
Tabasco	Medio bajo	22
Tamaulipas	Medio alto	12
Tlaxcala	Medio bajo	23
Veracruz	Medio bajo	29
Yucatán	Medio alto	19
Zacatecas	Medio bajo	26

Con la información de la tabla realiza la siguiente actividad.

En el mapa que está en el anexo, página 194, colorea con verde las entidades que tienen un alto nivel de calidad de vida, de amarillo las de calidad de vida media alta, de anaranjado las de calidad de vida media baja, y con café las de nivel bajo.

En la tabla encierra el renglón que le corresponde a tu entidad, colorea con verde la entidad que tiene un nivel de calidad de vida mayor y con café la que tiene un nivel de calidad de vida menor.

¿Cómo es el nivel de calidad de vida de tu entidad? ¿Cómo es la calidad de vida del lugar donde vives? Coméntalo con tus compañeros.

Ve al anexo, página 194

◈ Jardín en la azotea. Londres, Reino Unido.

Ahora, analiza la gráfica y realiza las actividades.

¿Qué características tienen en común los países que emitieron más dióxido de carbono (CO_2) por persona?

Comenta qué países tendrán una mejor calidad de vida y por qué.

¿Qué cantidad de dióxido de carbono per cápita emite México en un año?

Comenten en grupo las medidas que pueden tomarse para disminuir las emisiones de dióxido de carbono.

Emisiones CO_2 en MT

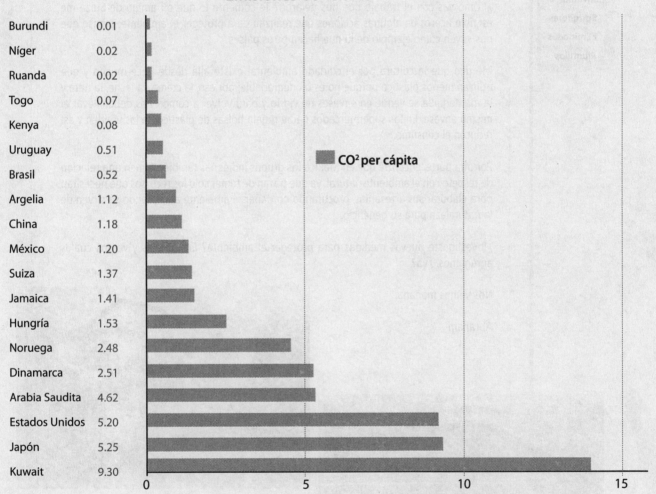

País	CO_2 per cápita
Burundi	0.01
Níger	0.02
Ruanda	0.02
Togo	0.07
Kenya	0.08
Uruguay	0.51
Brasil	0.52
Argelia	1.12
China	1.18
México	1.20
Suiza	1.37
Jamaica	1.41
Hungría	1.53
Noruega	2.48
Dinamarca	2.51
Arabia Saudita	4.62
Estados Unidos	5.20
Japón	5.25
Kuwait	9.30

| Archivar | Marcar como | Eliminar | Mover a | Etiquetar |

Redactar

Recibidos
Enviados
Borradores
Eliminados
Plantillas

¡Hola, Alberto!

¿Cómo vas con el trabajo que nos dejaron? Te comento lo que mi amigo de Suiza me escribió acerca de algunas acciones que realizan para proteger el ambiente; pienso que nos sirven como ejemplo de lo que hacen otros países.

Me dijo que la cultura por el cuidado ambiental existe allá desde hace mucho y que utilizan menos plástico porque no es biodegradable; por eso, la crema, la leche, la nata y la mantequilla se vende en envases de vidrio y para volver a comprarlas debes llevar el mismo envase. En los supermercados nadie regala bolsas de plástico, te las venden y así reducen el consumo.

Por otra parte, encontré que en México los grupos indígenas también tienen una relación de respeto con el ambiente natural, ya que tratan de tomar sólo los recursos que necesitan para elaborar sus artesanías, procurando no dañar el ambiente aun cuando se sirven de la naturaleza para su beneficio.

¿Investigaste nuevas medidas para proteger el ambiente? Envíamelas y vemos cuáles agregamos, ¿va?

Nos vemos mañana.

Abraham

↰ Responder   → Reenviar

ACCIONES LOCALES PARA PRESERVAR EL AMBIENTE

❖ Con el estudio de esta lección elaborarás propuestas para el cuidado y la protección del ambiente en el medio local.

Comencemos

Son diversos los problemas ambientales que deterioran el espacio geográfico tanto en el mundo como en el país y en tu comunidad. Identifica en las imágenes siguientes y en las del correo que envió Alberto, algunas acciones para evitar su deterioro. Comenta con tus compañeros cuál o cuáles de esas acciones se han desarrollado o se pueden realizar para proteger el ambiente en el lugar donde vives.

❖ Niños ayudando en la conservación de la tortuga del golfo, en el Parque Punta San Cristóbal, Cabo San Lucas, Baja California Sur.

❖ Estudiante de la Universidad Tecnológica de Coahuila analizando problemas ocasionados por la contaminación en las plantas.

Actividad

Observa las siguientes imágenes que representan problemas ambientales y relaciona con una línea las acciones que puedas realizar para contribuir a la solución del problema.

Evitar mezclar en la basura los residuos peligrosos, como pilas, baterías y desechos bioinfecciosos, los cuales también pueden contribuir directa o indirectamente al calentamiento global.

Desconecta los aparatos aun cuando estén apagados, ya que los televisores y reproductores de sonido que utilizan control remoto, gastan un tercio de la energía que usan al estar prendidos.

Aprovechar el agua jabonosa para lavar los escusados. Si la del enjuague está libre de productos de limpieza, utilízala para regar las plantas o el jardín.

Separar los residuos sólidos en orgánicos para producir composta y en inorgánicos para volver a producir la materia prima original (vidrio, plástico, aluminio, metal, papel) disminuyendo así el consumo de recursos naturales y de energéticos, así como disminuir las emisiones de gases efecto de invernadero.

Si nuestros hogares se calientan por carbón o leña, o si los calefactores funcionan a gas o petróleo, hay que asegurarse de que tengan una adecuada ventilación hacia el exterior.

Utilizar la mínima cantidad de jabón o detergente. Además de requerir menos agua para enjuagar, la ropa dura más.

Airear la casa por lo menos una vez al día, de preferencia en la noche o temprano en la mañana, ya que la radiación solar contrubuye al aumento del smog.

Apagar las luces y aparatos que no se están usando contribuye a disminuir la emisión de carbono a la atmósfera al requerir menos electricidad.

En grupo comenten cuál o cuáles de estos problemas, existen en el lugar donde viven y qué otras acciones ayudarían a la solución del problema.

Anoten sus conclusiones para retomarlas al finalizar su lección.

Aprendamos más

Desde 1972, cada 5 de julio se celebra el día mundial del ambiente para fomentar el cuidado de la naturaleza. Con los desastres ecológicos provocados por los derrames de petróleo y los problemas ocasionados por el cambio climático, dirías que no se está haciendo mucho por el espacio natural; sin embargo, la preocupación por el cuidado del planeta ha dado lugar a que palabras como contaminación ambiental, sustentabilidad, cambio climático o calentamiento global, sean parte de tu lenguaje cotidiano.

El calentamiento global, un problema ambiental mundial

El calentamiento global es un problema mundial que desencadena o agrava muchos otros problemas ambientales, como los incendios, la desertificación y las inundaciones. Ya en Ciencias Naturales estudiaste la relación de la contaminación del aire con el calentamiento global, ahora vas a investigar cómo puede afectar a tu comunidad y cómo participar para mejorar el ambiente.

Recordarás que la atmósfera está compuesta por una mezcla de gases. Algunos de ellos, como el dióxido de carbono y el vapor de agua, ocasionan el efecto invernadero: absorben y no dejan salir el calor que la Tierra irradia hacia la atmósfera. Los gases de efecto invernadero no son perjudiciales en sí, gracias a ellos, durante cientos de años se ha mantenido el equilibrio de la temperatura terrestre. Sin embargo, hoy en día, la presencia de estos gases se ha incrementado en la atmósfera, debido a la generación de electricidad, la combustión de las gasolinas, la producción industrial, el uso de gas doméstico y los incendios forestales.

Conforme aumenta la cantidad de estos gases, la temperatura promedio de la Tierra se incrementa, a esto se le conoce como calentamiento global.

❖ Bélgica. Industria que elabora recipientes con plástico reciclado.

Actividad

Organízate en equipo para investigar los efectos del calentamiento global que afectan el lugar donde vives. Para ello, consulten la tabla de la página siguiente, en la que identificarán algunos posibles efectos del calentamiento global y las regiones más vulnerables del país.

Analicen las características de su municipio y anótenlas en su cuaderno; para ello consulten la información de los mapas del *Atlas de México* de su entidad.

Si tienen acceso a Internet, entren al sitio "Cuéntame", en la Mapoteca del Inegi: http:// cuéntame.inegi.org.mx. En "búsqueda avanzada" localiza tu municipio.

De acuerdo con la ubicación y las características de su entidad y municipio, identifiquen en la tabla de la siguiente página si está en una región de vulnerabilidad y qué efectos sufriría si continúa el calentamiento global.

Efectos del calentamiento global en México	Zonas vulnerables
Clima y vegetación Clima más cálido que en la actualidad, principalmente en el norte del país. La humedad podría disminuir, lo que provocaría sequías debido a la evaporación. Disminuirán las regiones de clima templado y se reducirá la cantidad de lluvias en la región del centro. Los bosques de coníferas y encinos sufrirán un incremento de la temperatura de 2 °C y un descenso de 10% en la precipitación. Por el contrario, los bosques tropicales lluviosos se verán favorecidos, con un descenso de la temperatura de 2 °C.	**Noroeste y norte de México.** **Sistemas montañosos del país.**
Agricultura El calentamiento global afecta la vegetación, principalmente en la producción de alimentos, en especial en las regiones agrícolas de temporal. La superficie apta para el cultivo del maíz se reduciría de 40 a 25 por ciento.	**Superficie agrícola sembrada del país (agricultura de riego y temporal).**
Agua La disponibilidad del agua disminuirá 10% para 2020 respecto al año 2000 debido a la disminución de las lluvias.	**Principalmente centro y noroeste del país.**
Zonas costeras El aumento del nivel del mar inundará parte del litoral del Golfo de México, la península de Yucatán y las costas del Noreste. Los pastizales y las tierras agrícolas se contaminarán con la salinidad del mar. La elevación del mar alterará los ecosistemas de las lagunas costeras y provocará daños irreversibles en la biodiversidad. Con el aumento de la temperatura del mar es probable que como consecuencia, los huracanes alcancen categorías mayores.	**Todas las regiones costeras, principalmente en Veracruz, Tabasco, Nayarit, Chiapas y la península de Yucatán.**
Población Las consecuencias se observan principalmente en las grandes ciudades. Habrá desabasto de agua originado por la reducción de las precipitaciones y la disminución en la recarga de los mantos acuíferos; asimismo, se presentarán inundaciones ocasionadas por precipitaciones extremas. Un efecto directo en la salud es el "golpe de calor", que impide a las personas liberar el excedente de calor cuando están bajo el sol. En los estados del noroeste del país se incrementará la mortalidad por esta causa. Un aumento de la temperatura podría ocasionar un incremento de las concentraciones de ozono en la atmósfera de las ciudades. En las muy pobladas este fenómeno acarreará consecuencias catastróficas por los daños que el ozono provoca sobre la salud de la población y la destrucción de los bosques cercanos.	**Principalmente las grandes aglomeraciones urbanas.**

Apliquemos lo aprendido

Organícense en equipos y discutan las medidas que deben tomar en su comunidad para contribuir a la disminución de emisión de los gases que ocasionan efecto invernadero.

Con base en lo que discutieron, elaboren algunas propuestas, pueden ser acerca de otra problematica, como la desertificación, la contaminación de los ríos o la deforestación. Para sistematizar su discusión y el planteamiento de las propuestas, hagan una tabla de tres columnas como la siguiente:

Identificamos el problema (efectos del calentamiento global)	Analizamos posibles soluciones	Proponemos acciones

En la primera columna anoten los efectos que en su comunidad originaría el calentamiento global o el problema que hayan elegido en su equipo. En la segunda registren las conclusiones de la discusión y en la tercera describan paso a paso su propuesta.

Expongan la tabla elaborada al grupo y, con la orientación del docente, decidan las acciones a realizar.

❖ Algunas industrias en Europa utilizan filtros en sus chimeneas para reusar el hollín y los minerales que quedan atrapados.

✦ Consulta en...

Si tienes Internet, consulta también el portal http://cambio_clima-tico.ine.org.mx/ en donde puedes obtener información sobre tu entidad y en el recurso HDT en el video-FLV: Fuentes contaminantes del aire y agua.

Redactar

Archivar   Marcar como   Eliminar   Mover a   Etiquetar

Recibidos
Enviados
Borradores
Eliminados
Plantillas

¡Hola, Natalie!

¿Cómo sigues? Vi en las noticias que se están recuperando poco a poco en tu país del sismo de 2010 y que la capital, Puerto Príncipe, sigue en reconstrucción. Lo siento mucho, comentan que aún hay muchas personas desaparecidas, miles sin casa y muchos otros sin alimento, ni siquiera agua. Puedo imaginar lo que estás pasando porque mis papás hablan mucho del fuerte terremoto que ocurrió aquí en México en 1985, pues algunos edificios de la unidad habitacional donde vivían se cayeron y cientos de casas también se derrumbaron.

En mi país son frecuentes los sismos, los más fuertes se presentan en las costas del Océano Pacífico en los estados de Michoacán, Guerrero y Oaxaca. Hemos aprendido a vivir con eso y cada vez existen más planes de preservación local de desastres para que la población esté alerta y sepa cómo actuar en caso de que ocurra uno.

También en algunas clases de geografía, la maestra nos explica cómo debemos actuar antes, durante y después de un evento de ese tipo. Yo siempre estoy atenta a lo que nos dicen en los medios de comunicación para no estar desprevenida y poder sobrevivir.

Espero seguir en comunicación contigo.
Cuídate mucho.

Con afecto

Fernanda

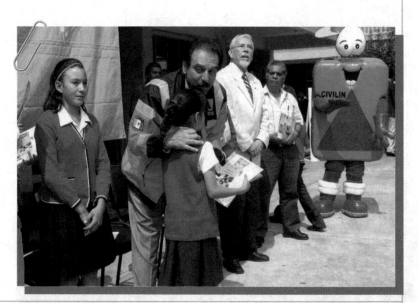

↩ Responder   → Reenviar

VAMOS A PREVENIR

❖ Con el estudio de esta lección participarás en la difusión de los planes de prevención en el lugar donde vives.

Comencemos

Algunos fenómenos naturales como los sismos que menciona Fernanda en su correo electrónico, pueden provocar desastres que alteran toda una ciudad, pero no son los únicos fenómenos. Recuerda que los desastres también pueden estar relacionados con las acciones humanas, como ocurre con las explosiones de fábricas o mercados.

De acuerdo con lo que dice el correo, las imágenes y lo que tú conozcas o hayas escuchado, escribe en tu cuaderno las consecuencias de los sismos. Usa los ejemplos de Haití y México.

❖ Imagen de Puerto Príncipe, capital de Haití, después del sismo que devastó aquel país caribeño en febrero de 2010.

Actividad

◆ El ciclón tropical *Katrina* devastó el sur de Estados Unidos en 2005.

◆ Terremoto que devastó Japón en 2011.

Junto con un compañero, recuerden y comenten dos desastres relacionados con fenómenos naturales, que hayan escuchado o vivido.

Elijan uno de los tres desastres y en un esquema o dibujo agreguen la información acerca del lugar donde ocurrieron (país o estado), qué los ocasionó y si consideran que pudieron ser evitados. Luego, lean el diálogo siguiente:

Pablo le platica a Ana que sus hermanos perdieron la cosecha.

A: ¡Hola, Pablo!, ¿cómo has estado?

P: ¡Hola, Ana!. Bien, gracias, aunque un poco preocupado.

A: ¿Por qué?

P: Porque mis hermanos mayores perdieron la cosecha de primavera y les costará trabajo recuperarse.

A: ¿Y por qué la perdieron?

P: Por falta de agua, ya sabes: no llueve ni alcanza para el riego. Lo malo es que no es el primer año que sucede y el municipio no da soluciones rápidas que apoyen a los afectados.

A: ¿Pues cuántos resultaron perjudicados?

P: Sólo en este periodo fueron alrededor de 7 000 hectáreas, que les dan de comer a más de cien familias.

A: Lo lamento mucho; tal vez podrían revisar los planes de desarrollo y los de contingencia del municipio o la región para este tipo de eventos, así conocerían las medidas que se pueden tomar y, con mayor información, hablar con las autoridades.

P: Sí, en la semana voy a investigar qué hay acerca de la sequía en esta región.

En el diálogo, subrayen con rojo el desastre ocurrido, con verde la parte afectada y con anaranjado la causa del desastre. ¿Se pudo haber evitado?, ¿cómo? ¿Qué tan preparados están para prevenir los desastres del lugar donde viven?

Como viste, los desastres ocurren en todo el mundo y generan graves pérdidas, desde las materiales hasta las humanas, por eso debemos estar prevenidos con medidas prácticas que nos permitan convivir con los peligros de nuestro entorno.

Los ciclones, depresiones, tormentas y huracanes tropicales son fenómenos meteorológicos que el ser humano no puede evitar, pero ante los cuales sí puede prepararse para mitigar los daños ocasionados por sus efectos destructivos.

Aprendamos más

Los seres humanos no podemos impedir que los fenómenos naturales ocurran, pero tenemos la posibilidad de atenuar sus efectos si entendemos mejor por qué suceden y si tomamos medidas oportunas. Del mismo modo, podemos evitar las catástrofes ocasionadas por la negligencia y el descuido del ser humano (explosiones o accidentes de transportes que involucran gran cantidad de víctimas), si se procura dar mantenimiento a las instalaciones, vías de comunicación y transportes, y sabemos qué hacer para prevenirlos o mitigarlos en caso de que ocurran.

❖ En algunas escuelas y edificios públicos se realizan simulacros de sismo e incendio para prevenir posibles desastres.

❖ Hawai, Estados Unidos. En algunos aeropuertos utilizan aves de cetrería para ahuyentar a las parvadas de aves silvestres que vuelan alrededor de las instalaciones provocando accidentes.

◆ Existen diferentes métodos meteorológicos para medir la intensidad y la velocidad de los huracanes, uno de ellos es este laboratorio instalado en una unidad móvil.

Los organismos encargados de la prevención de desastres

La Organización de las Naciones Unidas creó una secretaría exclusivamente para aplicar la llamada Estrategia Internacional para la Reducción de Desastres (EIRD). El propósito fundamental de la EIRD es reducir los efectos de los desastres, para ello, divulga información sobre el comportamiento de estos eventos, fomenta la cultura de la prevención, establece convenios entre los países y realiza múltiples acciones encaminadas a reducir las consecuencias desastrosas.

En nuestro país, el Centro Nacional de Prevención de Desastres (Cenapred) es el organismo encargado de prevenir o aminorar los efectos de los desastres. Tanto el EIRD como el Cenapred informan y preparan a la población para que tome conciencia sobre los riesgos que representan algunos fenómenos naturales, así como los desastres tecnológicos y ambientales para las sociedades y sus economías.

¿Podemos evitar los desastres?

Cada comunidad debe conocer las características geográficas y naturales de la zona en la que habita: el ambiente natural y el espacio que ha construido la sociedad. Esa información le será útil para enfrentar las amenazas y reducir su vulnerabilidad frente a los desastres.

◆ Centro Nacional de Prevención de Desastres (Cenapred). Laboratorio de instrumentación sísmica y monitoreo volcánico.

Actividad

Aprende la historia del lugar donde vives.

Pregunta a tus padres, tus abuelos y tus amigos si han vivido algún desastre. ¿Por qué se produjo? ¿Cómo contribuyó la gente para que ocurriera el desastre?

Escribe en tu cuaderno la historia de las catástrofes o desastres que se han producido en el lugar donde vives.

Los periódicos, la radio, la televisión e Internet pueden ayudarte a aprender más sobre los desastres y su prevención. Las actividades en la escuela también pueden ser útiles. Hacer dibujos acerca de lo que has aprendido te ayuda a entenderlo mejor y explicárselo a los demás. Habla con tu familia, tus amigos y la gente que conoces sobre la manera de reducir los riesgos en tu comunidad.

Con la información obtenida, completa el siguiente cartel:

¡No te asustes, prepárate!

¡El desastre!

Cómo actuó la gente

Acciones para prevenir

Reúnete con tu familia para identificar lugares seguros. Convence a tus padres de que la familia debe tener un plan de emergencia y prepara con ellos los suministros de emergencia en caso de desastre.

Prevención de desastres

Para reducir el riesgo de un desastre, podemos realizar acciones como las siguientes:

Promover el cuidado del ambiente

En tu escuela y en tu comunidad promueve la limpieza de los cuerpos de agua, la siembra de árboles y de otra clase de vegetación; de esta forma protegerás la naturaleza y ayudarás a disminuir la contaminación, a evitar las inundaciones, los deslizamientos, la erosión de los suelos y otros efectos negativos.

Elaborar un mapa de amenazas y riesgos de tu comunidad

El mapa de riesgos es un gran dibujo o maqueta que muestra todos los edificios importantes, como las escuelas y los hospitales, las zonas de cultivos y los caminos que podrían resultar afectados en caso de producirse un desastre. También expone los elementos o los lugares potencialmente peligrosos, como volcanes cercanos, zonas susceptibles de inundarse y los pastizales muy secos que posiblemente se incendiarían.

Además, el mapa incluye todos los recursos, las personas y las instituciones que pueden ayudar a tu comunidad a prepararse y protegerse, como la estación de bomberos, la Cruz Roja, y el centro de salud y la unidad local de protección civil. Para mostrar todos estos componentes, te sugerimos dibujar símbolos en el mapa e incluso inventar tus propios símbolos, comprensibles para los demás.

Plan familiar de protección civil

Es un conjunto de actividades que los miembros de una familia deben realizar antes, durante y después de que se presente una contingencia para evitar que se produzcan desastres. Más adelante realizarás uno.

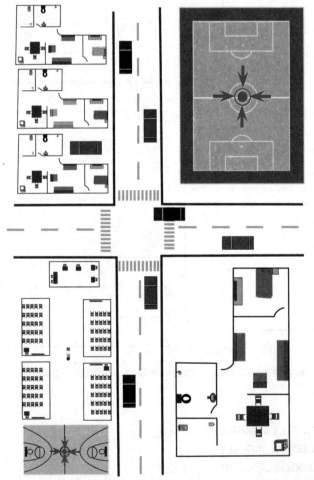

❖ Éste es un ejemplo de croquis que señala los lugares peligrosos, las rutas de evacuación y los puntos de reunión. Haz uno de tu vecindario o de tu escuela y pégalo en un lugar visible para que toda la comunidad lo conozca.

Apliquemos lo aprendido

Para elaborar un plan familiar de protección civil, invita a todos los miembros de tu familia.

Recorran y observen muy bien tu casa y sus alrededores; responde:

- ¿Cuáles son las amenazas próximas a tu casa?
- ¿Qué mejoras requiere tu casa para ser más segura?
- ¿Hay lugares en tu comunidad alejados de peligros: ríos, volcanes o fábricas, por lo que son considerados más seguros en caso de que ocurra un desastre?
- ¿Dónde están las personas y los establecimientos más cercanos que podrían ayudarte, como la estación de bomberos, la Cruz Roja, el hospital o el centro de salud?

Elabora un plano o croquis de tu casa.

Marca en él las rutas de salida más seguras y rápidas. Señala varias salidas seguras dependiendo del lugar donde podría estar algún miembro de tu familia durante el evento; por ejemplo, el lugar donde duermen, juegan o trabajan.

Su plan debe incluir lo siguiente:

- Lugares dónde reunirse fuera de la casa: un parque o la casa de algún familiar o vecino que esté lejos del peligro.
- En caso de que el vecindario fuera evacuado, definir la casa de un amigo o familiar que esté en otro barrio o pueblo.
- El número de teléfono al cual llamar en caso de separarse durante la emergencia.
- Memoriza el número de teléfono de un familiar que viva en otra región o estado para que pueda saber dónde te encuentras.

Un terremoto, un huracán o una explosión pueden provocar corte de la electricidad durante varios días y contaminar los suministros de agua y, en caso extremo, dejarte aislado con tu familia en tu casa por varios días. Por eso, es indispensable que con ayuda de tus padres preparen los suministros de emergencia y guarden en una bolsa de plástico y en una mochila donde puedan encontrarlos fácilmente. En los suministros deben incluir: un botiquín de primeros auxilios, comida no perecedera (que se conserve sin refrigeración), ropa (impermeables y botas para lluvia, una cobija), una linterna, pilas de repuesto, papel y lápiz, radio portátil, fósforos, velas, abrelatas y artículos de higiene, jabón y papel higiénico. No olviden revisar regularmente los suministros para verificar que los alimentos y medicamentos no hayan caducado y que las pilas, la linterna y el radio portátil funcionen.

Presenta ante el grupo tu plan familiar de protección civil y escucha atentamente el de tus compañeros. Al finalizar, completa tus planes con aquellas ideas que consideres pertinentes.

También es importante conocer el plan escolar de protección civil; pregunta por él en la dirección de la escuela.

✦ Consulta en...

Para que te informes sobre las acciones preventivas a realizar, visita la página de Internet: http://www.eird.org/index.esp.html.
http://www.cenapred.unam.mx/publicaciones

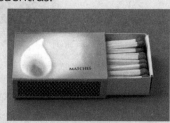

Redactar

Archivar   Marcar como   Eliminar   Mover a   Etiquetar

Recibidos
Enviados
Borradores
Eliminados
Plantillas

Hola, amigos, les recuerdo que el día de mañana hay una reunión en mi casa después de clases, para trabajar nuestro proyecto de geografía. Usaremos la información que todos encontramos acerca de las inundaciones que ocurren en la colonia y de los ejemplos de lugares en el mundo donde ocurre lo mismo.

Vamos a organizarnos: Pepe y yo reunimos toda la información, Sofía eligió coordinar la fase de diagnóstico y trabajar este proceso con Martha. Todos haremos la sistematización, el análisis y la discusión del tema.

Para la siguiente reunión podemos realizar la última fase que consiste en escribir el reporte y la comunicación de los resultados.

Por favor, no falten, es el último proyecto, ¡ánimo equipo!

Habrá música y palomitas.

Emiliano

↩ Responder   → Reenviar

TU PROYECTO

Comencemos

❖ Con el estudio de esta lección analizarás un problema del medio local que sea representativo de lo que ocurre en el mundo.

En grupo, podrán elegir y abordar un problema local de su interés para elaborar un proyecto como lo hicieron en cuarto y quinto grados. En éste relacionarán los componentes del espacio geográfico y les permitirá conocer mejor el espacio donde viven. El problema o situación a investigar se relacionará con el ambiente, las condiciones sociales y económicas de tu comunidad o las diversas manifestaciones culturales.

Primero, les presentamos un proyecto modelo para que sirva de guía; después, ustedes elaborarán uno de su entidad o del lugar más próximo a donde viven. Como se darán cuenta, en el proyecto modelo se han destacado las indicaciones para que en el desarrollo del suyo las distingan fácilmente.

El último correo electrónico de su libro menciona algunas actividades que se realizarán, anoten en su cuaderno cuáles son y en cúales les gustaría participar.

Su proyecto deben tener las siguientes etapas:
1. Diagnóstico
2. Sistematización
3. Análisis y discusión
4. Reporte escrito y comunicación de los resultados.

❖ Delegación Benito Juárez, Distrito Federal.

Lee el siguiente fragmento de una noticia periodística.

☾ EL PERIÓDICO

México, 2011

Persiste desigualdad en México: ONU

En un reporte publicado por el Programa de Naciones Unidas para el Desarrollo (PNUD) se destacan los contrastes de desarrollo en nuestro país. Menciona que la delegación Benito Juárez, en la Ciudad de México, tiene un índice de desarrollo humano (IDH) superior al de los países de la Organización para la Cooperación y el Desarrollo Económico (OCDE), entre los que se encuentran Estados Unidos de América, Reino Unido, Japón, Francia y Alemania. En cambio, Cochoapa el Grande, uno de los municipios de la región montañosa de Guerrero, presenta el IDH más bajo de todos los estados; en el censo oficial de 2005 se registraron 15 572 habitantes en la región, de las 2 830 viviendas que hay, sólo 147 cuentan con baño y 11 con drenaje, aunque 172 tienen televisión.

◈ Cochoapa, Guerrero.

Tu Proyecto

- Formen equipos y comenten si existe un problema similar en su entidad o algún otro que esté relacionado con el desarrollo socioeconómico y anótenlos en su cuaderno.
- Recopilen información acerca de los problemas anotados. Pueden hacer entrevistas, leer periódicos o revistas de su entidad, o preguntar a su familia y vecinos.
- Reúnanse en grupo y con la orientación de su maestra o maestro, elijan un problema para su proyecto.
- Anoten una pregunta que guíe su investigación y el propósito, es decir, aquello que buscan lograr con la investigación.

Como parte del diagnóstico, se generaron las siguientes preguntas: ¿qué tan desigual es el grado de desarrollo socioeconómico en México? ¿En dónde y cómo se presentan estas desigualdades?

Para responder estas preguntas, primero se localizaron la delegación y el municipio que menciona el artículo.

◆ Distrito Federal.

Map 1 labels:
ESTADO DE MÉXICO
Azcapotzalco
Gustavo A. Madero
Cuauhtémoc
Miguel Hidalgo
Venustiano Carranza
Benito Juárez
Iztacalco
Iztapalapa
Cuajimalpa
Coyoacán
Tláhuac
Álvaro Obregón
La Magdalena Contreras
Xochimilco
Tlalpan
Milpa Alta
MORELOS

Simbología
Límite delegacional
Límite estatal
Escala 1: 400 000
0 5 10 15 20 km.

◆ Municipio de Cochoapa el Grande, Guerrero.

Map 2 labels:
Copanatoyoac
Tlapa
Xalpatláhuac
Alcozauca
Tlacoapa
OAXACA
Atlamajalcingo
Cochoapa El Grande
Malinaltepec
Iliatenco
Xochistlahuaca
Acatlán
Metlatónoc
Tlacoachistlahuaca
Igualapa

Simbología
Límite municipal
Límite estatal
Escala 1: 400 000
0 5 10 15 20 km.

- Su equipo puede comenzar escribiendo una o dos preguntas que guíen su investigación y localizar los municipios o estados de su proyecto en un mapa.
- Después, describan y dibujen el relieve, el clima y la vegetación de estos lugares, para que identifiquen las condiciones naturales y las posibles relaciones entre esas condiciones y el problema socioeconómico que definieron. Revisen su *Atlas de México*.

Tu **Proyecto**

La delegación Benito Juárez se ubica en el área central de la Ciudad de México. Tiene una extensión de 27 km², representa menos de 2% del área total del Distrito Federal. Se asienta sobre una zona nivelada y de clima templado. La vegetación original era boscosa, pero con el crecimiento de la ciudad fue desapareciendo.

El municipio de Cochoapa el Grande fue creado en 2002. Se ubica al este del estado de Guerrero, sobre lomeríos y barrancas; en su parte central destacan algunos cerros, que alcanzan una altura de 1 878 m. El clima es semiseco, templado y semicálido; entre su vegetación predominan el mezquite, el matorral espinoso, las nopaleras y los pastizales.

Etapa 2

Sistematización ▶

Las condiciones naturales pueden influir en el grado de desarrollo de una comunidad. Por ejemplo, si está ubicada en una zona de relieve montañoso con climas extremosos o lejos de las vías de comunicación —como ocurre en Cochoapa—, entonces tendrán menos acceso a servicios importantes: luz, agua potable, drenaje, escuelas y hospitales. Si además una población está ubicada sobre suelos poco aptos para la agricultura y sin información para el aprovechamiento del bosque, las condiciones de alimentación también son precarias.

❖ "Parque Hundido", Benito Juárez, Distrito Federal.

❖ Calle sin pavimentar en Cochoapa, Guerrero.

En contraste, la delegación Benito Juárez se ubica en el centro de la capital, sobre un terreno con mínima pendiente, de clima templado lluvioso con suficiente abastecimiento de todo tipo de servicios, porque concentra servicios esenciales como agua potable, luz, vías de comunicación, escuelas, hospitales y todo tipo de empleos.

Para ver con más detalle los contrastes en cuanto a desarrollo socioeconómico, se obtuvieron datos estadísticos como los siguientes.

Municipio	Benito Juárez (Distrito Federal)	Cochoapa el Grande (Guerrero)
Población total	355 017	15 572
Población relativa (habitantes / km^2)	13 148.7	25.1
Esperanza de vida	75.3	76.09
Tasa de mortalidad infantil (niños muertos por cada mil nacidos vivos)	3.02	60.8
Población alfabetizada mayor de 15 años	284 301	1 882
Grado promedio de escolaridad	12.9	1.41
PIB per cápita	186 314	1612
Promedio de ocupantes por vivienda	2.9	5.5
Personas que hablan lengua indígena y no hablan español	7	8.631

❖ Fuentes: http://www.undp.org.mx/DesarrolloHumano/competitividad/imagenes/IDH%20Municipal%20en%20Mexico%202000-2005.pdf Conapo: http://ceidas.org/documentos/Centro_Doc/Tasa_Mortalidad_Infantil_por_municipio_2006.xls

- Recopilen y organicen información sobre los indicadores de desarrollo socioeconómico del lugar que seleccionaron y regístrenla en una tabla como la anterior.
- Hay varias maneras de conseguir la información: visitar las páginas de Internet que se citan como fuente; acudir a la biblioteca de la comunidad y, con la ayuda de su profesor, pedir información en la cabecera municipal. También consultar la Mapoteca del Inegi de su municipio. Deben obtener al menos un dato sobre educación, uno de salud (esperanza de vida, mortalidad infantil, número de clínicas o de camas de hospital, entre otros) y uno más sobre ingresos para comparar el grado de desarrollo económico. El IDH es un indicador que puede ser de mucha utilidad.

◈ Una de las avenidas principales en Cochoapa, Guerrero.

Etapa **3**

Análisis y discusión ▶

Comparen los datos de la tabla de la página anterior y observen los indicadores resaltados que muestran con más claridad la desigualdad en el grado de desarrollo.

Entre los primeros destaca la gran mortalidad de niños. Mientras en Benito Juárez, de cada mil niños que nacen sólo mueren tres, en Cochoapa mueren 60, esto es reflejo de una gran carencia en atención médica.

La escolaridad también hace evidente la desigualdad, pues en Cochoapa, la población en general no llegó a estudiar ni siquiera dos años en la escuela, mientras en Benito Juárez superaron la educación básica (secundaria) y comenzaron la media superior (bachillerato). Este grado de educación permite el acceso a mejores empleos y la posiblidad de mejorar la calidad de vida.

Tu Proyecto

Subrayen sobre su tabla los indicadores que muestran el mayor contraste entre los dos lugares que seleccionaron y en el cuaderno respondan: ¿cómo influyen esos indicadores en la forma de vida de la población? Después, comenten la respuesta en el grupo.

Analicen la propuesta y comenten las posibles soluciones.

Etapa **4**

Reporte escrito y comunicación de los resultados

La desigualdad en el grado de desarrollo se hace evidente, no sólo a través de los indicadores, también en las condiciones visibles del lugar y de las personas, como se muestra en las siguientes imágenes.

◈ La avenida de los Insurgentes, atraviesa la Ciudad de México.

Es verdad que algunas condiciones naturales dificultan el acceso a servicios que permiten una mejor calidad de vida, como la distancia entre poblados, el tipo de relieve, el clima, el tipo de vegetación y de suelo. Sin embargo, también existen lugares con atractivos turísticos desarrollados que están ubicados en condiciones naturales difíciles, como ocurre con algunos hoteles en las Barrancas del Cobre en Chihuahua.

Si la inversión en infraestructura (carreteras, hospitales, escuelas) para la población más pobre fuera la prioridad en el desarrollo de un país, se elevaría la calidad de vida de toda la población y no habría tantos contrastes en el nivel de desarrollo como ocurre entre Cochoapa el Grande y la delegación Benito Juárez.

Cabe mencionar que además de las carencias con las que sobrevive la población de Cochoapa, el municipio más pobre, deben enfrentar la discriminación de la población que vive en mejores condiciones.

❖ Edificio en la delegación Benito Juárez.

❖ Unidad habitacional en Cochoapa, Guerrero.

Con base en la investigación, anoten en su cuaderno un párrafo en el que expliquen cómo las condiciones naturales y sociales de los lugares que eligieron, influyen en el grado de desarrollo socio-económico, representado por los indicadores de su tabla.

Piensen en algunas posibles soluciones al problema de la desigualdad en el lugar donde viven, en qué aspectos sociales sugerirían trabajar para reducirla, quiénes tendrían que intervenir y cuál podría ser la participación de ustedes. Para presentar su proyecto de investigación diseñen un cartel de los problemas socioeconómicos de los lugares seleccionados. Escriban entre todos un párrafo en el que expliquen las consecuencias de la desigualdad.

Con la ayuda de su maestro organicen en la escuela una exposición de sus carteles. Inviten a sus compañeros, a los miembros de sus familias y, si es posible, a la comunidad en general.

En equipo deberán permanecer junto a sus carteles para explicar a los espectadores lo que representaron y aclararles cualquier duda.

Lo que aprendí

Recuerda lo que aprendiste en el bloque y realiza lo siguiente.

Lee el siguiente diálogo:

Sofía le platicaba a su primo Andrés, un problema que ocurrió en su escuela y la forma como lo resolvieron. Tú puedes darle opciones.

S: Hola, Andrés, no te escuché llegar.

A: Te veo muy pensativa, ¿qué pasa?

S: Hay un grupo de chavos en la escuela y en la colonia, que no dejan de molestar a los nuevos vecinos, los huicholes. Arremedan sus palabras en lengua indígena y ni siquiera saben lo que significan, también les dicen niñitas por los morrales bordados que usan para guardar los libros.

A: No es común verlos como compañeros, ellos también deben sentirse extraños, seguramente, vinieron para mejorar su calidad de vida.

S: Según lo que me han contado, varias familias de su comunidad tuvieron que emigrar. Aunque sus condiciones no eran buenas, pues no tenían agua entubada ni drenaje, sí había un dispensario médico y una escuela primaria multigrado y aprendieron a convivir con el bosque.

A: Entonces, ¿por qué emigraron?

S: Según cuentan, llegaron unos hombres a alambrar muchas hectáreas de bosque en la parte alta, lo talaron y saquearon durante 10 años, sin reforestarlo. Durante ese tiempo el suelo se fue perdiendo y, en una ocasión, las lluvias arrastraron "un monstruo de lodo" que arrasó con su comunidad, por lo que tuvieron que abandonar sus casas y se establecieron aquí.

A: Pues qué cruel que después de lo que les pasó, todavía sean discriminados.

S: Algunos compañeros y vecinos platicamos sobre lo que pasa en la escuela y en la colonia, así que nos reunimos para actuar. Platicamos con la maestra que escuchó nuestras inquietudes y nos propuso la elaboración de un mural intercultural.

A: ¿Y eso qué es?

S: Nos pusimos a investigar acerca delas características de los grupos étnicos como los indígenas y los extranjeros que hay en el estado, así como de otros grupos culturales. Luego, trajimos textos, dibujos, recortes de periódicos, de revistas y fotografías sobre ellos. Organizamos la información por grupo cultural y la expusimos oralmente. Una vez que todos supimos de sus características culturales, hicimos un esquema de lo que queríamos dibujar de cada grupo en el mural. El director y los padres de familia se pusieron de acuerdo para conseguir un muro en un lugar público para poder presentar nuestro dibujo. Llevamos dos fines de semana haciendo nuestro mural y yo creo que hoy lo terminamos, ¿me acompañas?

Responde las siguientes preguntas en tu cuaderno:

- ¿Cómo podrías conocer la calidad de vida de los huicholes de Nayarit y compararlo con la de las familias que viven en las ciudades de ese estado?

- ¿Cuáles medidas propondrías para el cuidado del ambiente y para prevenir desastres en la región indígena huichol?

Resalta con colores diferentes las etapas del proyecto descrito en los diálogos: 1. Diagnóstico, 2. Sistematización, 3. Análisis y discusión y 4. Reporte escrito y comunicación de resultados.

Describe brevemente un proyecto para practicar la interculturalidad en el lugar donde vives.

Al terminar las actividades, comparte tu trabajo con tus compañeros.

Realiza la lectura, analiza la gráfica, recuerda lo que aprendiste en este bloque y encierra en un círculo el inciso que responde correctamente cada pregunta.

Según datos del Centro Nacional de Prevención de Desastres (Cenapred), en México, entre mayo y noviembre se presentan en promedio 23 ciclones tropicales, de los cuales 14 ocurren en el océano Pacífico y nueve en el Golfo de México y el mar Caribe. De ellos, aproximadamente cuatro entran cada año al territorio nacional, dos desde el Pacífico y dos desde el Atlántico. Por el número de ciclones que llegan, los estados de la región del Pacífico más vulnerables son: Baja California Sur, Michoacán, Sinaloa y Sonora; debido a la existencia de importantes centros de población asentados a lo largo de sus costas; se ha estimado que las personas expuestas a este fenómeno son aproximadamente 4 millones (40% de la población total de estos estados). Otro grupo también vulnerable a los ciclones son los estados de Campeche, Quintana Roo, Colima y los 19 municipios costeros de Jalisco. Se estima que en estos estados, aproximadamente 2 millones de personas están expuestas a sufrir sus efectos, principalmente inundaciones.

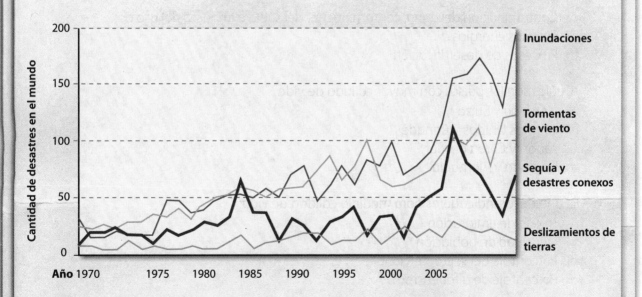

❖ Fuente: Naciones Unidas. Estrategia Internacional para la Reducción del Riesgo de Desastres, 2009.

1. Con respecto a la cantidad de desastres en el mundo, ¿cuál de ellos presenta el mayor incremento en los años recientes?

   a) Deslizamientos de tierra
   b) Sequías y desastres conexos
   c) Inundaciones
   d) Tormentas de viento

2. De acuerdo con la gráfica, ¿cuál de los cuatro tipos de desastres que señala la ONU es más frecuente en México?

   a) Deslizamientos de tierra
   b) Sequías y desastres conexos
   c) Inundaciones
   d) Tormentas de viento

3. Si usas la información que tienes sobre desastres naturales y la proporcionada por Cenapred, para elaborar un mapa de riesgos, ¿qué entidades deberás señalar con mayor riesgo de inundaciones?

   a) Sonora, Quintana Roo, Sinaloa y Campeche
   b) Quintana Roo, Sinaloa, Tabasco y Durango
   c) Quintana Roo, Sinaloa, Tabasco y Chiapas
   d) Tabasco, Chiapas, Campeche y Durango

4. De los siguientes problemas ambientales, ¿cuál se relaciona con el calentamiento global?

   a) Procesos de desertificación, contaminación del agua y contaminación del suelo
   b) Contaminación del agua, contaminación del suelo y contaminación del aire
   c) Contaminación del agua, contaminación del suelo e impacto del uso de diversas energías
   d) Procesos de desertificación

5. ¿Cuáles son los países con mayor calidad de vida?

   a) Noruega y Suiza
   b) Estados Unidos y Canadá
   c) Japón y Corea del Sur
   d) Holanda y Alemania

6. Es uno de los indicadores para medir la calidad de vida:

   a) Índice de emigración
   b) Densidad de población
   c) Porcentaje del sector terciario
   d) Porcentaje de alfabetismo

Autoevaluación

Es tiempo de que evalúes lo que has aprendido en este bloque. Lee cada enunciado y marca con una palomita (✓) el nivel que hayas alcanzado.

Aspectos a evaluar	Lo hago bien	Lo hago con dificultad	Necesito ayuda para hacerlo
Comparo la calidad de vida de algunos países con la que tiene el lugar donde vivo.			
Analizo las causas y consecuencias de problemas ambientales.			
Elaboro croquis de zonas de riesgo, de seguridad y de rutas de evacuación en mi escuela o en mi casa, en colaboración con la comunidad.			
Analizo un problema de mi comunidad de importancia mundial.			

Escribe una situación en la que apliques lo que aprendiste, hiciste e investigaste en este bloque.

_____

_____

_____

Aspectos a evaluar	Siempre	Lo hago a veces	Difícilmente lo hago
Reflexiono sobre la desigualdad en la calidad de vida del lugar donde vivo en comparación con la de otros lugares.			
Propongo acciones para contribuir a reducir problemas ambientales en el lugar donde vivo.			
Valoro la importancia de saber actuar adecuadamente ante un desastre.			
Analizo en grupo un problema de mi comunidad que es representativo de lo que ocurre en el mundo.			

Me propongo mejorar en: _____

ANEXO

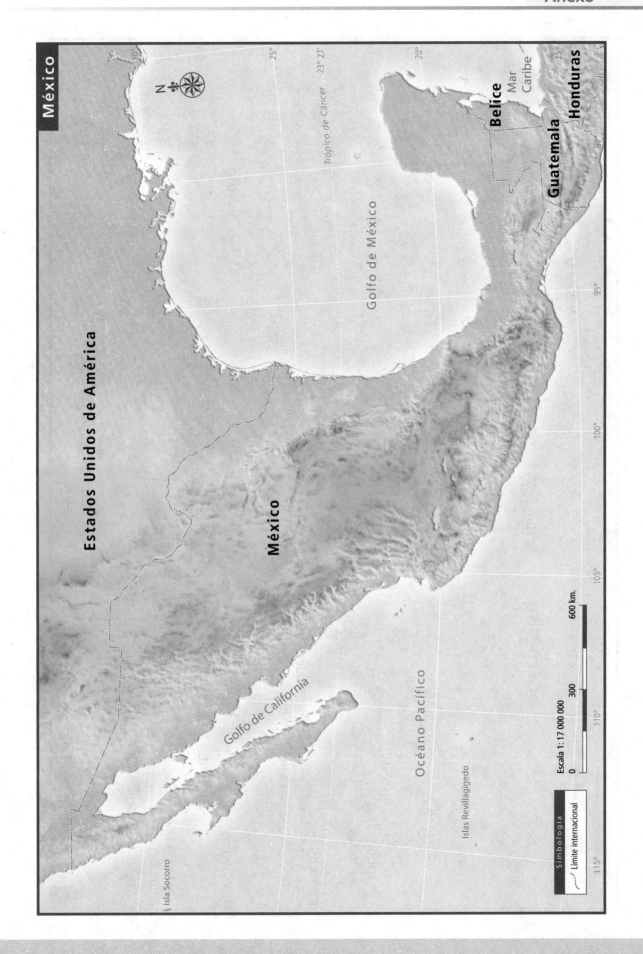

México

Estados Unidos de América

México

Golfo de México

Trópico de Cáncer. 23° 27'

Golfo de California

Océano Pacífico

Islas Revillagigedo

Isla Socorro

Isla Socorro

Belice

Mar Caribe

Guatemala

Honduras

N

Simbología
Límite internacional

Escala 1: 17 000 000
0   300   600 km.

30° 25° 20° 15°
90°
95°
100°
105°
110°
115°

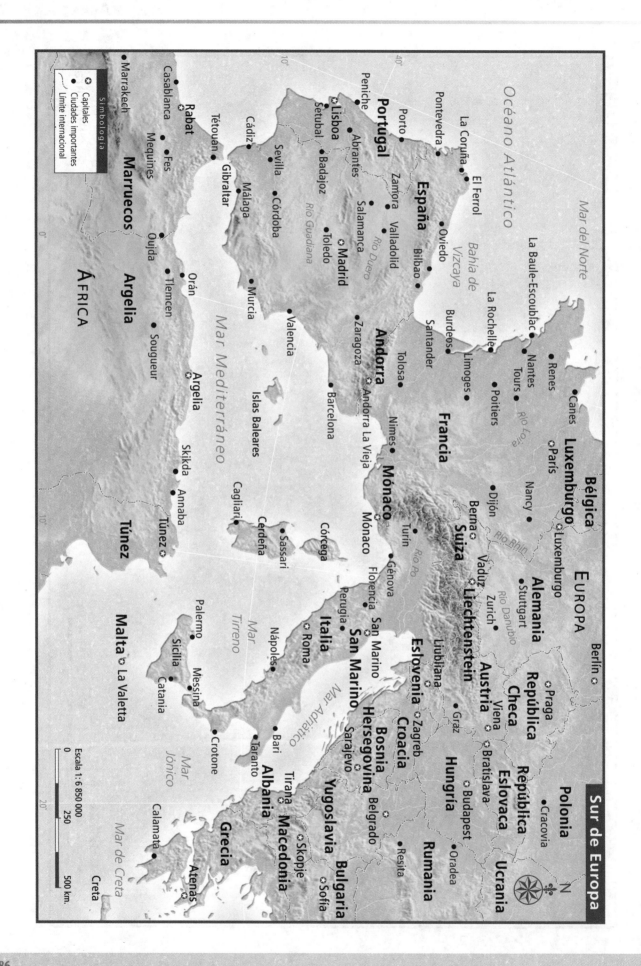

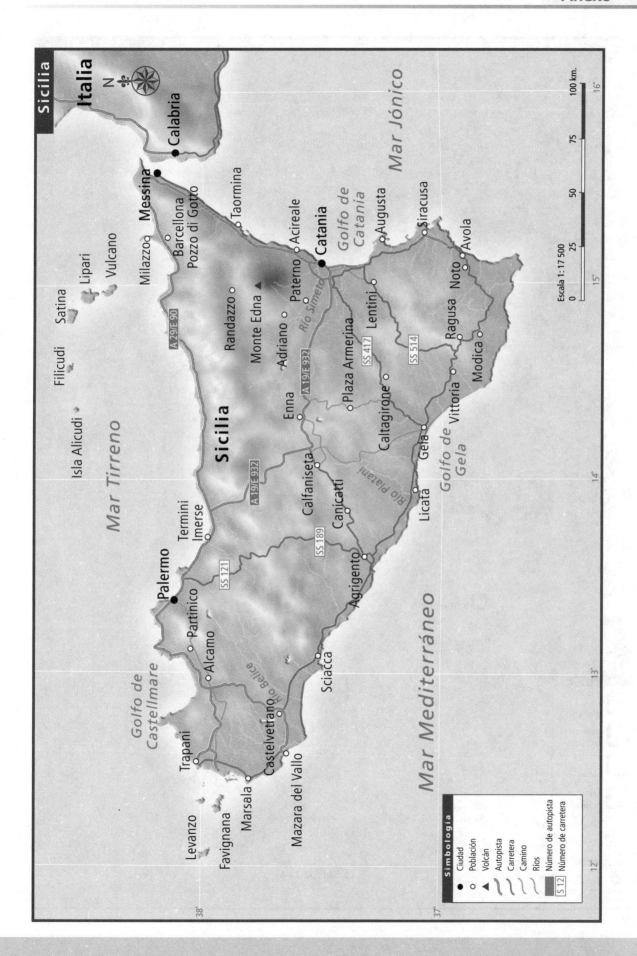

Sicilia

Italia

Mar Tirreno

Golfo de Castellmare

Mar Mediterráneo

Mar Jónico

Golfo de Catania

Golfo de Gela

Calabria

Messina

Palermo

Catania

Sicilia

N

Escala 1:17 500

0   25   50   75   100 km.

Simbología

- Ciudad
- Población
- Volcán
- Autopista
- Carretera
- Camino
- Ríos
- Número de autopista
- Número de carretera

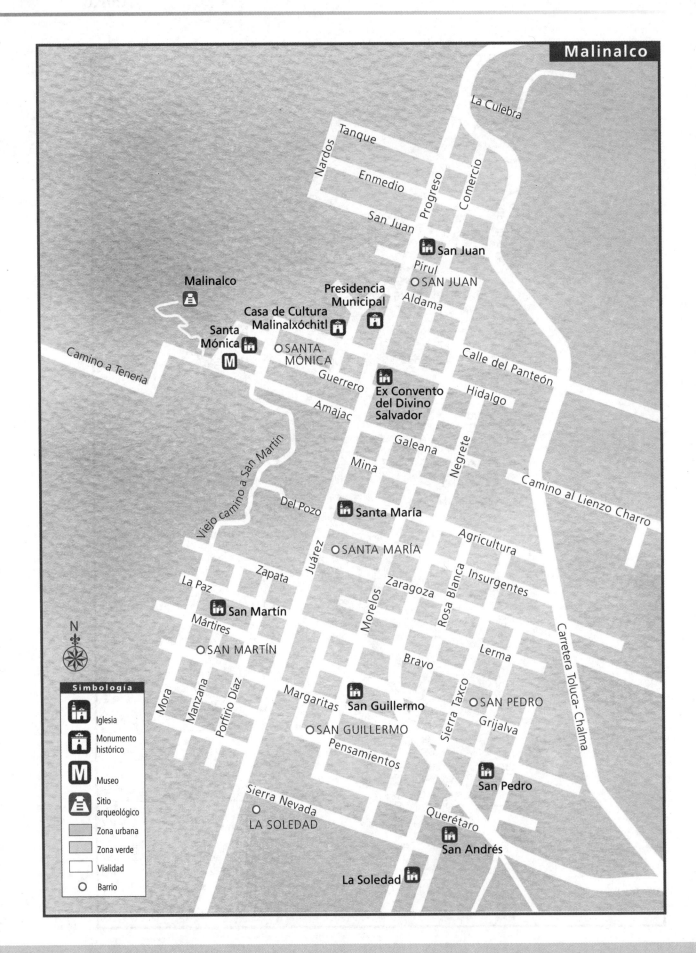

La Culebra

Tanque

Nardos

Enmedio

Progreso

Comercio

San Juan

San Juan

Pirul

○ SAN JUAN

Aldama

Malinalco

Presidencia
Municipal

Casa de Cultura
Malinalxóchitl

Santa
Mónica

M

○ SANTA
MÓNICA

Calle del Panteón

Guerrero

Ex Convento
del Divino
Salvador

Hidalgo

Amajac

Galeana

Negrete

Mina

Camino al Lienzo Charro

Camino a Tenería

Viejo camino a San Martín

Del Pozo

Santa María

○ SANTA MARÍA

Agricultura

Zapata

Juárez

Zaragoza

Rosa Blanca

Insurgentes

La Paz

Morelos

San Martín

Mártires

Lerma

○ SAN MARTÍN

Bravo

Mora

Manzana

Porfirio Díaz

Margaritas

San Guillermo

Sierra Taxco

○ SAN PEDRO

Grijalva

Carretera Toluca- Chalma

○ SAN GUILLERMO

Pensamientos

San Pedro

Sierra Nevada

○
LA SOLEDAD

Querétaro

San Andrés

La Soledad

N

Simbología

Iglesia

Monumento
histórico

M Museo

Sitio
arqueológico

Zona urbana

Zona verde

Vialidad

○ Barrio

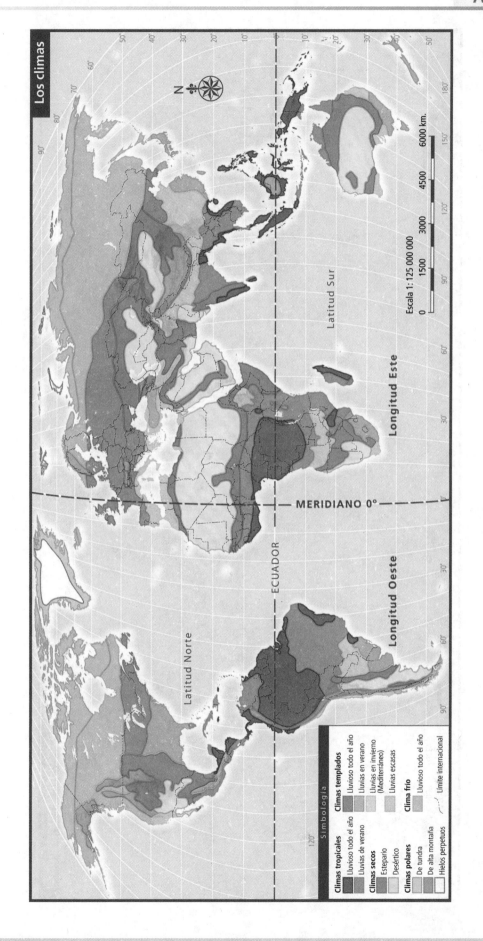

Los climas

Simbología

Climas tropicales
- Lluvioso todo el año
- Lluvias de verano

Climas secos
- Estepario
- Desértico

Climas polares
- De tundra
- De alta montaña
- Hielos perpetuos

Climas templados
- Lluvioso todo el año
- Lluvias en verano
- Lluvias en invierno (Mediterráneo)
- Lluvias escasas

Clima frío
- Lluvioso todo el año
- Límite internacional

Escala 1: 125 000 000

0   1500   3000   4500   6000 km.

MERIDIANO 0°

ECUADOR

Latitud Norte

Latitud Sur

Longitud Este

Longitud Oeste

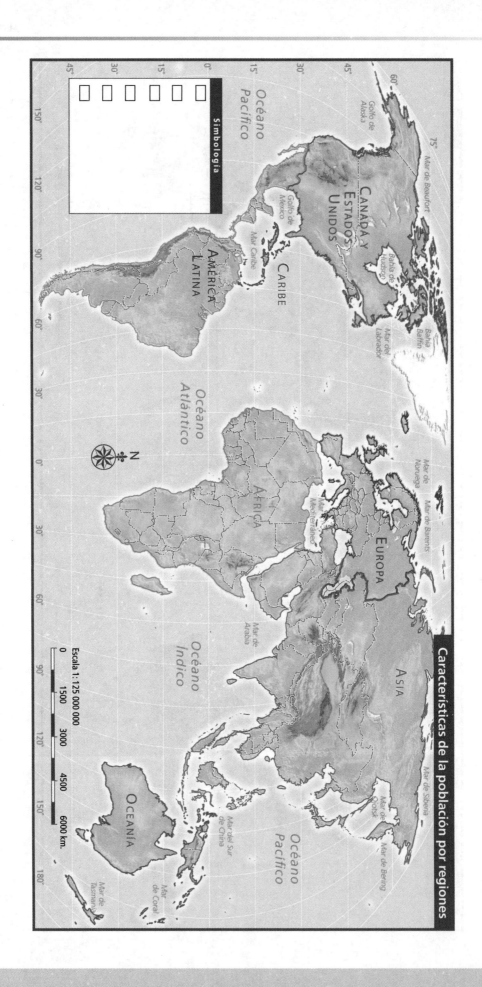

Características de la población por regiones

Simbología

Océano Pacífico

Golfo de Alaska

CANADÁ Y ESTADOS UNIDOS

Mar de Beaufort

Bahía de Hudson

Bahía Baffin

Mar del Labrador

Golfo de México

Mar Caribe

AMÉRICA LATINA

CARIBE

Océano Atlántico

N

ÁFRICA

Mar Mediterráneo

Mar de Noruega

Mar de Barents

EUROPA

ASIA

Mar de Siberia

Mar de Bering

Mar de Ojotsk

Mar de Arabia

Océano Índico

Océano Pacífico

Mar del Sur de China

OCEANÍA

Mar de Coral

Mar de Tasmania

Escala 1:125 000 000

0   1500   3000   4500   6000 km.

45° 30° 15° 0° 15° 30° 45° 60° 75°

150° 120° 90° 60° 30° 0° 30° 60° 90° 120° 150° 180°

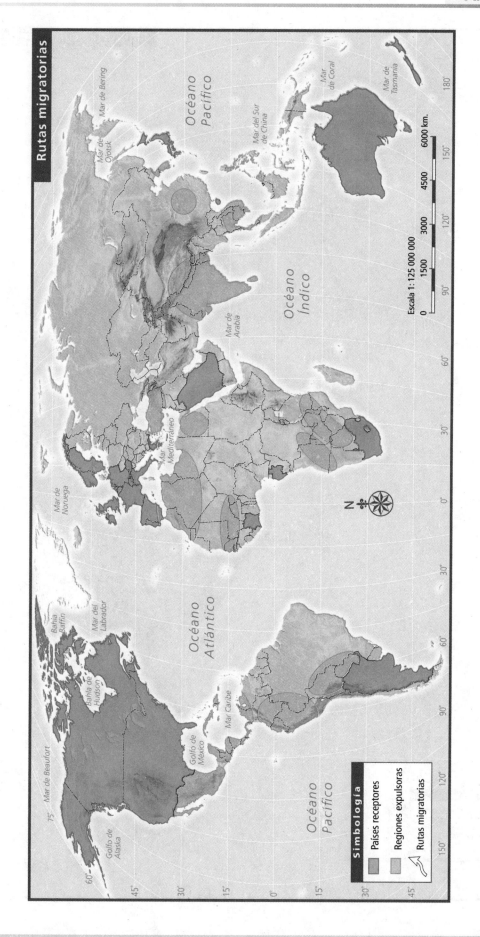

Rutas migratorias

Océano Pacífico
Océano Pacífico
Océano Índico
Océano Atlántico

Mar de Beaufort
Golfo de Alaska
Bahía de Hudson
Bahía Baffin
Mar del Labrador
Mar de Noruega
Golfo de México
Mar Caribe
Mar de Bering
Mar de Ojotsk
Mar del Sur de China
Mar de Coral
Mar de Tasmania
Mar de Arabia
Mar Mediterráneo

Escala 1: 125 000 000

0   1500   3000   4500   6000 km.

Simbología
Países receptores
Regiones expulsoras
Rutas migratorias

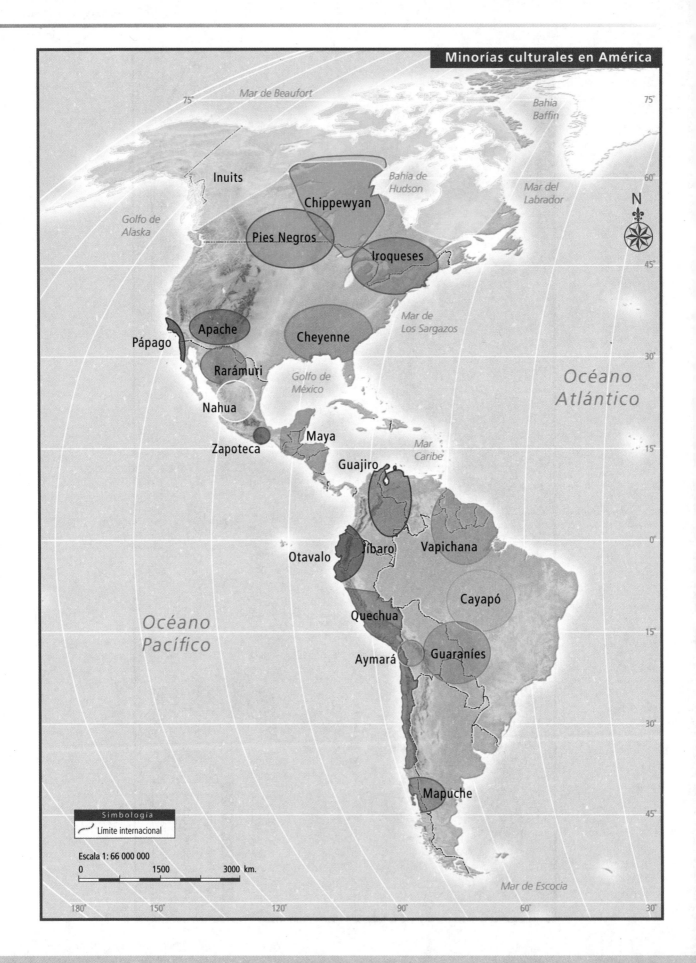

Mar de Beaufort

Inuits

Bahía de Hudson

Bahía Baffin

Golfo de Alaska

Mar del Labrador

Chippewyan

Pies Negros

Iroqueses

N

Apache

Cheyenne

Mar de Los Sargazos

Océano Atlántico

Pápago

Rarámuri

Golfo de México

Nahua

Zapoteca

Maya

Mar Caribe

Guajiro

Vapichana

Otavalo

Jíbaro

Cayapó

Océano Pacífico

Quechua

Aymará

Guaraníes

Mapuche

Mar de Escocia

Simbología

Límite internacional

Escala 1: 66 000 000

0   1500   3000 km.

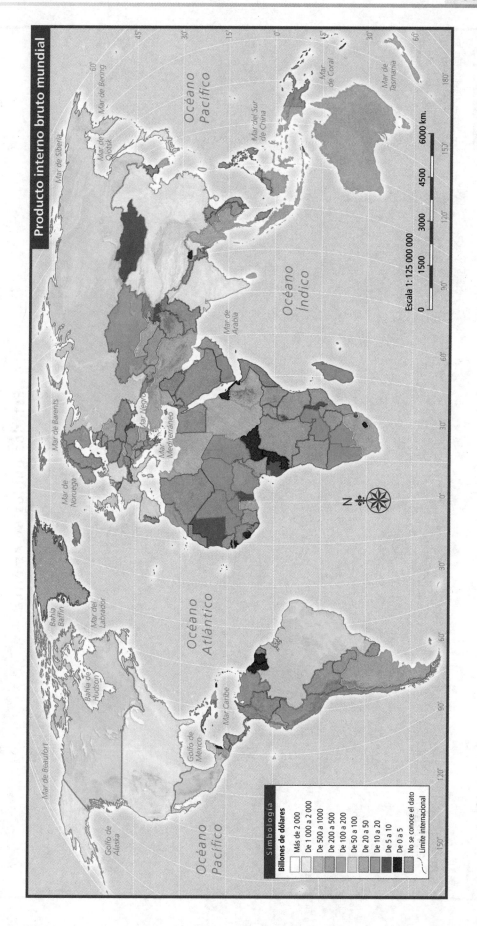

Producto interno bruto mundial

Simbología

Billones de dólares

Más de 2 000
De 1 000 a 2 000
De 500 a 1000
De 200 a 500
De 100 a 200
De 50 a 100
De 20 a 50
De 10 a 20
De 5 a 10
De 0 a 5
No se conoce el dato
Límite internacional

Escala 1: 125 000 000

0   1500   3000   4500   6000 km.

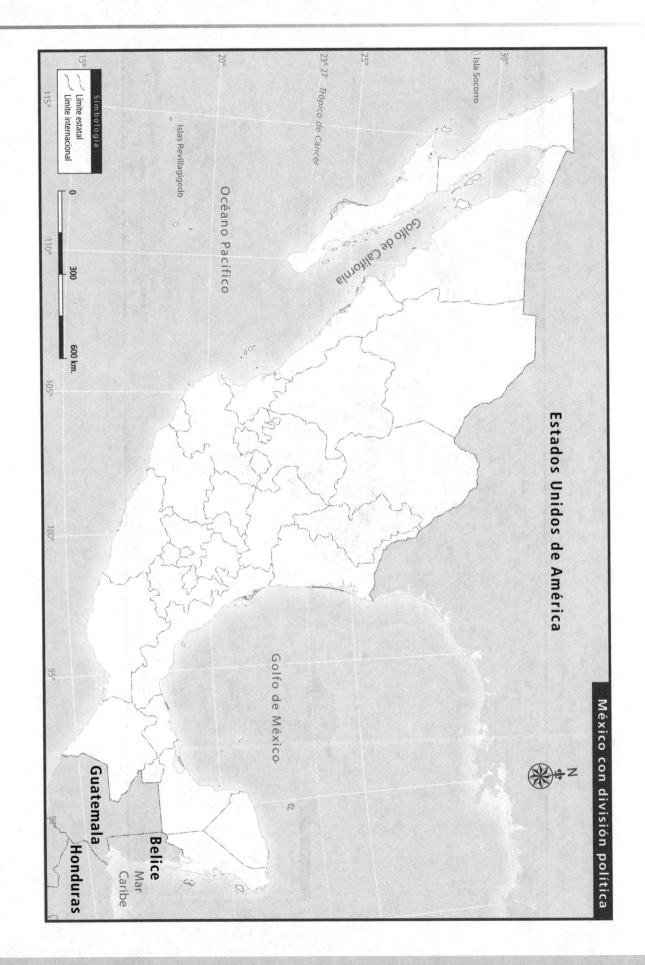

Estados Unidos de América

México con división política

Símbología

Límite estatal
Límite internacional

0   300   600 km.

Océano Pacífico

Golfo de California

Golfo de México

Mar Caribe

Belice

Guatemala

Honduras

Islas Revillagigedo

Isla Socorro

Trópico de Cáncer

N

15°
20°
23° 27'
25°
30°

115°
110°
105°
100°
95°
90°

Bibliografía

Atlas de Ecología, España, Parramón, 2004.

Atlas de Historia Universal, México, Compañía Editorial Continental S.A., 1980.

Atlas mundial del medio ambiente. Preservación de la naturaleza, España, Cultural, 1997.

Culturas indígenas americanas, España, Salvat Editores S.A., 1981.

El sector alimentario en México, México, Inegi, 2008 (Estadísticas sectoriales).

El pulso de la Tierra. Reporte visual de un planeta amenazado, México, National Geographic, 2008.

Bustillo Marín, Roselia, *El reconocimiento por la otredad indígena basada en el respeto a su identidad*, Tesis de Maestría en Derechos humanos, México, Universidad Iberoamericana, 2006.

Brown, Alan y Andrew Langley, *Religiones del mundo*, México, SEP-Juventud, 2003 (Libros del Rincón).

Caride Gómez, José Antonio, "Educación ambiental. Desarrollo y pobreza: Estrategias para 'otra' globalización". Ponencia presentada en la Reunión Internacional de Expertos en Educación Ambiental: Nuevas propuestas para la acción, Santiago de Compostela, España, 2000.

Comisión Europea, *La protección de las minorías*, Estrasburgo, Consejo de Europa, 1994.

Comisión Naciona del Agua, *Estadísticas del agua en México*, México, Semarnat, 2007.

Estrategia de Educación Ambiental para la Sustentabilidad en México, México, Semarnat, 2006.

Conapo, *El poblamiento de México. Una visión histórico-demográfica*, tomo I, México, Secretaría de Gobernación / Consejo Nacional de Población, 1993.

Corberó, María Victoria, *et.al.*, *Trabajar mapas*, México, Longman de México Editores, 1998.

Dallanegra Pedraza, Luis, *Tendencias del orden mundial*: régimen internacional, Argentina, Edición del autor, 1999.

Dirección General de Protección Civil, *Guía técnica para la preparación de mapas de ubicación geográfica de riesgos*, México, Secretaría de Gobernación, 1994.

Guillochon, Bernard, *La globalización. ¿Un futuro para todos?*, trad. Gloria Roset, México, Larousse, 2003.

Haslam, Andrew, *Los Mapas. Haz que funcione*, México, Reader's Digest México, 1997 (El enfoque práctico de la Geografía).

Hernández Pedreño, Manuel (coord.), *Exclusión social y desigualdad*, Murcia, Universidad de Murcia, 2008.

Hoffman, Mary y Ray Jane, *Canción de la Tierra. Mitos leyendas y tradiciones*, México, SEP-Ramón Llaca, 2003 (Libros del Rincón).

Julia, José-Ramón (dir.), *Atlas de historia universal*, Barcelona, Planeta, 2000.

Niederberger, Christine, "*Las sociedades mesoamericanas*: las civilizaciones antiguas y su nacimiento", en Rojas Rabiela, Teresa (dir.), *Las sociedades originarias*, vol. I, México, UNESCO-Trotta, 2005.

Fondo de Población de las Naciones Unidas, *El estado de la población mundial*, Dinamarca, ONU, 2007, publicación anual.

Ortiz Pérez, Mario Arturo y Oralia Oropeza Orozco, "Consideraciones críticas sobre la investigación geográfica de los desastres de origen natural", en *Geografía y desarrollo. Revista del Colegio Mexicano de Geógrafos Posgraduados* 7, vol. III, México, 1992.

Rollet, Catherine, *La población en el mundo*, España, Larousse, 2004 (El mundo contemporáneo).

Solanes Carraro, María del Carmen y Enrique Vela Ramírez, "Atlas del México prehispánico", en *arqueología Mexicana núm. 5*, México, Conaculta-INAH, 2003.

Wilches-Chaux, Gustavo, "La vulnerabilidad global", en *Los desastres no son naturales*, Andrew Maskrey, comp. Colombia, Red de Estudios Sociales en Prevención de Desastres en América Latina, 1993.

¿Y el medio ambiente? Problemas en México y el mundo, México, Semarnat-SEP, 2007.

Referencias de Internet

- http://mapserver.inegi.gob.mx/geografia/espanol/estados/tab/imgs27/taba_urb.pdf
- http://mapserver.inegi.gob.mx/geografia/espanol/estados/ixtapa/imgs27/taba_urb.pdf
- Giordan, Henry, "Las sociedades multiculturales y multiétnicas", en: http://www.unesco.org/most/giordspa.htm#NOTAS
- Food and Agriculture Organization, ONU: www.fao.org/faostat.fao.org
- Galeano, Eduardo. "El imperio del consumo", en: http://eduardogaleano.net/index.php?option=com_content&task=view&id=81&Itemid=34
- Organización mundial de comercio, *Anuario de comercio*: www.wto.org
- Estrategia Internacional para la reducción de desastres, ONU: www.eird.org/index-esp.html
- www.greenpeace.org/mexico/campaigns/energ-a-y-cambio -climatico/impactos-en-mexico
- UNESCO, ONU: www.unesco.org

Créditos iconográficos

pp. 8-9: Barrancas del Cobre, Chihuahua, © Latinstock; **p. 10:** (izq.) sabana en Oaxaca, fotografía: Salatiel Barragán Santos; (der.) selva, Lubaantún, distrito de Toledo, Belice, © Photo Stock; **p. 12:** (arr.) frontera entre Haití y República Dominicana, NASA; (ab.) vista aérea de la frontera entre México y Estados Unidos, © Latinstock; **p. 13:** frontera entre México y Estados Unidos, fotografía de sargento 1ª clase: Gordon Hyde, Ejército de Estados Unidos; **p. 17:** (der.) templo maya en Guatemala, © Photo Stock; (izq.) República Dominicana, cultura Gaga, © Latinstock; **pp. 21-22:** instrumentos italianos de cartografía, © Latinstock; **p. 23:** mapa del mundo producido en Ámsterdam (1689), Gerard van Schagen, 48.3 x 56.0 cm, dominio público; **p. 26:** playa La Ropa, Zihuatanejo, Guerrero, © Photo Stock; **p. 30:** (arr. izq.) plano de la Ciudad de México, 1858, Mapoteca Manuel Orozco y Berra; (arr. der.) mapa de la Ciudad de México; (ab. izq.) mapa de Roma grabado por Joris Hoefnagel; (ab. der.) plano de Roma central, © Latinstock; **p. 31:** vista de Malinalco, fotografía de Salatiel Barragán Santos; **p. 32:** vista aérea del río Mosa, © Photo Stock; **p. 33:** (izq.) América del Sur, mapa holandés del siglo XVII. ca. 1630 por Jodocus Hondius, © Photo Stock; (der.) vista satelital de América del Sur, NASA GSFC; **p. 34:** (arr.) mapa babilónico del mundo mesopotámico, © Latinstock; (ab.) astronauta Donald R. Pettit, NASA Estación Espacial Internacional; **p. 35:** vista satelital de Tokio, Japón, © Latinstock; **p. 36:** (arr.) aparato localizador GPS; (ab.) meteorólogo observando mapas satelitales del agua, © Latinstock; **p. 38:** (arr.) entrada del templo de Chaumukha, India; (centro) ofrenda en el río Ganges, India; (ab.) hindú vendiendo especias en la calle, © Latinstock; **p. 39:** (arr.) vista satelital de Roma, Italia, © Latinstock; (ab.) vista satelital de Italia, Jacques Desclotres, MODIS Rapid Team, NASA GSFC; **pp. 42-43:** molinos de energía eólica en Oaxaca, fotografía de Oscar Torresbaca; **p. 44:** (izq.) Reserva Nacional Tambopata, zona de Amazonas, Perú, © Other Images; (der.) jaguar, © Photo Stock; **p. 45:** mujer y niño frente al volcán Chimborazo, Ecuador, © Latinstock; **p. 46:** (de arr. hacia ab.) oso polar; perrito de la pradera; mono ardilla de Sudamérica; canguro con cría; pingüino en la Antártida, © Latinstock; (der.) la Tierra, foto Reto Stockl, NASA-GSFC; **p. 47:** estepa y montañas, Argentina, © Latinstock; **p. 48:** (arr.) camellos en el desierto; (ab.) leopardo en el bosque, © Latinstock; **p. 49:** (arr.) reno de Svalbard, Noruega; (ab.) siervo en parque, © Latinstock; **p. 52:** (izq.) Monteverde, Costa Rica; (der.) orangután en el Parque Nacional Sumatra, Indonesia, © Photo Stock; **p. 53:** pangolín, © Latinstock; **p. 54:** (arr.) bosque tropical; (ab.) cactus, © Photo Stock; **p. 55:** (izq.) rana de Seychelles, © Latinstock; (der.) quetzal, © Photo Stock; **p. 56:** monstruo de Gila, © Latinstock; **p. 57:** (arr.) isla Freycinet Tasmania, © Photo Stock; (ab.) gran barrera de coral de Australia, © Other Images; **p. 58:** aserradero, Columbia Británica, Canadá, © Glow Images; **p. 59:** (izq.) bosque de castaños, fotografía de Jorge Martínez Huelves; (centro.) madera; (der.) silla, © Gobierno de España-Ministerio de Educación, Instituto de Tecnologías Educativas, Banco de imágenes y sonidos; **p. 60:** (arr.) transportadores de madera, Oregon, Estados Unidos; (ab.) mina de diamante en Australia, © Latinstock; **p. 61:** estación hidroeléctrica en Rusia, © Latinstock; **p. 62:** (arr.) pozo petrolero en Canadá; (ab.) removiendo carbón en un carguero, © Latinstock; **p. 63:** (arr.) hombre en aserradero; (ab.) planta petrolera Taiwán, © Latinstock; **p. 64:** (izq.) Parque Nacional de Tongariro, Nueva Zelanda, © Other Images; (der.) Parque Ecológico de Tongariro, Nueva Zelanda, © Latinstock; **p. 65:** guacamaya roja, fotografía de Salatiel Barragán Santos; **p. 66:** Centro Ecológico las Guacamayas, fotografía de Salatiel Barragán Santos; **p. 67:** (arr.) molino de viento; (ab.) equipo talando un bosque, © Latinstock; **p. 68:** monte Ngauruhoe, Nueva Zelanda, © Glow Images; **p. 69:** (arr.) tranvía en Alemania, © Photo Stock; (ab.) castillo en la ciudad de Heidelbrg, Alemania, © Latinstock; **p. 73:** quechua con una cocina solar en Misa Rumi, región de la Puna, Provincia de Jujuy, Argentina, © Latinstock; **pp. 76-77:** 98 niños originarios de Londres, © Latinstock; **p. 78:** (arr.) calle en San Chistobal de las Casas, Chiapas, México; (ab.) mercado de pescado, Catania, Sicilia, Italia, © Photo Stock; **p. 79:** (izq.) Byumba, ciudad de Rwanda, © Photo Stock; (der.) Favela Rocinha en Río de Janeiro, Brasil, © Latinstock; **p. 81:** (arr. der.) adultos mayores en México, fotografía de Cuauhtémoc Garduño; (ab. izq.) jóvenes africanos, © Photo Stock; (ab. der.) niños en salón de clase, Comunicación Social, SEP; **p. 84:** celebración ortodoxa de la Epifanía del Señor, Lalibela, Etiopía, © Photo Stock; **p. 86:** (arr.) tráfico, avenida Mercurio, Sao Paulo, Brasil; (ab.) parque do Ibirapuera, Sao Paulo, Brasil, © Photo Stock; **p. 87:** (izq.) vista desde el John Hancock Center, Chicago, Estados Unidos, © Latinstock; (der.) pueblo en colinas (Milpillas), fotografía de Michael Calderwood; **p. 88:** (arr.) tienda de quesos artesanales y vinos en Europa; (centro) oficina de médico; (ab. izq.) señal de teléfono de emergencia, carretera del Valle de la Muerte, California, Estados Unidos, © Latinstock; (der.) plantío de caña, México, Secretaría de Agricultura, Ganadería, Desarrollo Rural, Pesca y Alimentación; **p. 89:** (arr. izq.) vagones del metro; (arr. der.) estación de bomberos; (ab.) cirugía funcional endoscópica de los senos, © Latinstock; **p. 90:** (arr.) cosecha de fresa, © Latinstock; (ab.) Salvador de Bahía. Brasil, © Photo Stock; **p. 91:** Brasilia, Brasil, © Photo Stock; **p. 92:** (izq.) teatro chino Graumann, Los Ángeles, California; (der.) muelle de Redondo Beach, California; © Photo Stock; **p. 93:** (arr.) paso fronterizo entre Ciudad Juárez, Chihuahua y El Paso, Texas, © Latinstock; (ab.) inmigrantes arriban a la isla Ellis, Nueva York (1900), © Photo Stock; **p. 95:** Antigua, Guatemala, © Photo Stock; **p. 97:** plantación de café, Armenia, Colombia, © Photo Stock; **p. 98:** (arr.) balseros salen de la playa de Cojímar, Cuba; (ab.) chefs, Lisboa, Portugal, © Latinstock; **p. 100:** (izq. y der.) adolescentes de distintas etnias, © Photo Stock; **p. 101:** festival Camel Race, África, © Latinstock; **p. 102:** indígena huichol, fotografía de Marco Antonio Pacheco; **p. 103:** (arr.) joven de África; (centro) 25° aniversario del Festival de Woodstock; (ab. izq.) comunidad espiritual judía en Berkeley, California; (ab. der.) adolescentes góticos en Tokio, © Latinstock; **p. 105:** (izq.) artista aborigen pintando en la isla de Galiwinku, Australia; (der.) quechua tejiendo, © Latinstock; **p. 106:**

Palacio Nacional, Centro Histórico, Ciudad de México, © Photo Stock; **p. 107:** (arr.) restaurante imperial de la familia Li, Beijing, China; (ab.) desfile del año nuevo lunar en el barrio de Chinatown, Nueva York, © Latinstock; **pp. 110-111:** puerto de Seattle, Washington, © Latinstock; **p. 112:** mercado al aire libre, Old Dhaka, Bangladesh, © Other Images; **p. 113:** (izq.) familia musulmana; (der.) mujeres musulmanas, mercado de San Mauro, Ziguinchor, Senegal, © Latinstock; **p. 114:** (izq.) pueblo rural, India; (der.) granero, Park City, Utah, Estados Unidos, © Photo Stock; **p. 115:** (arr.) niña suiza; (ab.) niña, Kenia, © Latinstock; **p. 116:** (arr.) niño, Yucatán, México, © Latinstock; (ab.) aula de Enciclomedia, Comunicación Social, SEP; **p. 117:** (arr.) choza, fotografía de Salatiel Barragán Santos; (ab.) mujeres tzotziles, © Photo Stock; **p. 118:** (der. arr.) planta de ensamblaje de General Motors, Lansing, Michigan, Estados Unidos; (izq.) fábrica de Volkswagen, Dresden, Alemania; (der. ab.) montaje de motor de un coche, Alemania, © Photo Stock; **p. 119:** (izq.) juguetería, © Photo Stock; (der.) planta de extracción de jugo de naranja en Clewiston, Florida, © Latinstock; **p. 120:** (arr.) Times Square, Nueva York, © Photo Stock; (ab.) jóvenes con computadora, © Latinstock; **p. 123:** fábrica de algodón, © Photo Stock; **p. 127:** (arr.) contenedor en una carretilla elevadora; (centro) buque carguero en el puerto de Hong Kong; (ab.) trenes con contenedores en el Puerto de Vancouver, Canadá, © Latinstock; **p. 128:** industria del café en Armenia, Colombia, © Photo Stock; **p. 129:** (arr.) hombre cortando café, fotografía de Bob Schalkwijk; (centro izq.) comerciante de café; (centro der.) camión con carga de café, © Latinstock; (ab. izq.) tostado y molido de café, fotografía de Bob Schalkwijk; (ab. der.) café recién preparado, © Photo Stock; **p. 131:** (arr.) fabricación de jabones con estiércol de vaca, India; (centro izq.) panal; (centro der.) apicultor, © Latinstock; (ab.) transportación de miel, Valaquia, Rumania, © Photo Stock; **p. 132:** (arr. izq.) descarga de huevos de salmón; (arr. der.) área comercial Deira, Dubai, Emiratos Árabes Unidos, © Latinstock; (ab. izq.) ganado vacuno en la región de La Laguna; (ab. centro) pasteurización de leche en La Laguna; (ab. der.) envasado de leche, fotografías de Bob Schalkwijk; **p. 133:** muelle comercial, Mazatlán, Sinaloa, © Photo Stock; **p. 134:** (arr.) trabajadores pesando un lingote de oro, © Latinstock; (ab. izq.) industria del acero, Corea del Sur; (ab. der.) producción de rollos de cartón, Países Bajos, © Photo Stock; **p. 136:** centro comercial, Alemania, © Photo Stock; **p. 137:** objetos diversos, fotografías de Marco Antonio Pacheco; **p. 138:** (arr.) adolescentes lavando un coche; (centro) mujeres en Bangladesh, © Latinstock; (ab. izq.) niños; (ab. der.) residuos de pilas, Holanda, © Photo Stock; **p. 139:** (arr.) tránsito de vehículos; (ab.) niño frente a televisión, © Latinstock; **p. 140:** (izq.) mujer haciendo tortillas, © Latinstock; (der.) vendedor de revistas, Chicago, Illinois, Estados Unidos, © Photo Stock; **p. 143:** (arr.) peces en arrecife de coral; (ab.) peces ángel gris de coral, © Latinstock; **pp. 146-147:** vista satelital del centro de la ciudad de Copenhague, Dinamarca, © Latinstock; **p. 148:** centro para personas sin hogar en Detroit, © Photo Stock; **p. 149:** (izq.) escuela de Uganda; (der.) Cuzco, Perú, vista del patio de una escuela, © Photo Stock; **p. 150:** (arr.) feria del libro; (ab. izq.) el presidente Dmitry Medvedev visita el

sviaz-ExpoComm 2009, Moscú, © Latinstock; (ab. der.) enfermeros, Hospital de Howard, Zimbabwe, © Other Images; **p. 152:** (arr.) niño en aula; (centro) escuela clandestina en Herat; (ab.) Hospital Central Kamazu, © Latinstock; **p. 153:** (arr.) bote con división para separar basura, © Latinstock; (centro) Tulum, México; (ab. izq.) aerogeneradores de energía, Baja Sajonia, Alemania, © Photo Stock; (ab. der.) casa cubierta de paneles solares, Austria, © Latinstock; **p. 154:** paneles solares y molinos de viento en Lleida, Cataluña, España, © Photo Stock; **p. 156:** jardín en la azotea, Londres, Reino Unido, © Photo Stock; **p. 158:** (izq.) paneles solares, estadio Suisse, Berna, Suiza; (der.) alumnos recolectando papel para la estación central de reciclaje, Münchenstein, Basilea, Suiza, © Photo Stock; **p. 159:** (arr.) niños en un refugio de tortugas golfinas; (ab.) estudiante analizando los efectos de la contaminación en las plantas, © Latinstock; **p. 160:** (de arr. a ab.) río con espuma por detergente, © Glow Images; basura, Quito, © Glow Images/News com; interior de una casa; mujer haciendo tortillas, © Photo Stock; **p. 161:** recipientes de plástico reciclado, © Latinstock; **p. 163:** planta industrial con filtro y chimeneas, Zaberfeld, Alemania, © Photo Stock; **p. 164:** personal de protección civil en una escuela de la Delegación Gustavo A. Madero, México, D.F., © Glow Images/News com; **p. 165:** palacio presidencial en Haití después del terremoto, © Latinstock; **p. 166:** (arr.) daños por el huracán *Katrina*, Estados Unidos, 2005, © Photo Stock; terremoto y tsunami en Japón, 2011, © Other Images; **p. 167:** (arr.) simulacro de sismo, fotografía de Heriberto Rodríguez/Archivo Iconográfico DGME-SEP; (ab.) golondrinas de mar, Estados Unidos, © Latinstock; **p. 168:** (arr.) vehículo para monitorear huracanes, NOAA, Estados Unidos; (ab.) Laboratorio de Instrumentación y Monitoreo, cortesía del Centro Nacional de Prevención de Desastres (Cenapred) México; **p. 171:** (arr.) latas de verdura; (ab. izq.) medicinas; (ab. der.) cerillos, © Photo Stock; **p.172:** Escuela Primaria Estatuto Jurídico, México, Distrito Federal, fotografía de Francisco Palma Lagunas; **p. 173:** edificios, fotografía de Salatiel Barragán Santos; **p. 174:** Cochoapa el Grande, Guerrero, fotografía de Prometeo Lucero; **p. 176:** (arr.) parque hundido, fotografía de Salatiel Barragán Santos; (ab.) Cochoapa el Grande, Guerrero, fotografía de Prometeo Lucero; **p. 178:** (arr.) Cochoapa el Grande, Guerrero, fotografía de Prometeo Lucero; (ab.) edificios, fotografía de Salatiel Barragán Santos; **p. 179:** (arr.) edificios, fotografía de Salatiel Barragán Santos; (ab.) Cochoapa el Grande, Guerrero, fotografía de Prometeo Lucero.

Mapas: Magdalena Juárez.

Iconos de sección: Libro de Wizards Batak Indonesia, Museo Nacional de Etnología, Leiden, Holanda; lupa, Archivo iconográfico DGME-SEP; semáforo, Archivo iconográfico DGME-SEP; mundo y manos, Archivo Iconográfico DGME-SEP; cerebro humano, Archivo Iconográfico DGME-SEP.

Geografía. Sexto grado
se imprimió por encargo de la
Comisión Nacional de Libros de Texto Gratuitos,
en los talleres de Reproducciones Fotomecánicas, S.A. de C.V.,
con domicilio en Democracias No. 116, Col. San Miguel Amantla,
Delegación Azcapotzalco, C.P. 02700, México, D.F.,
en el mes de mayo de 2011.
El tiraje fue de 2'776,400 ejemplares.

Impreso en papel reciclado

¿Qué opinas del libro de *Geografía. Sexto grado*?

Tu opinión acerca de este libro es importante para que podamos mejorarlo.
Marca con una ✓ tu respuesta y si tienes alguna duda, dirígete a tu maestro.

	Me gustaron mucho	Me gustaron poco	No me gustaron
Las imágenes de las lecciones			
Las actividades que se presentan			
	Siempre	**A veces**	**Nunca**
El lenguaje utilizado es claro.			
Las instrucciones para realizar las actividades son claras.			
Las imágenes me ayudaron a comprender el tema tratado.			
El atlas me ayudó a realizar las actividades de exploración.			
Las cápsulas me proporcionaron información interesante y útil sobre el contenido y las actividades.			
Las actividades de evaluación de cada bloque me permitieron reflexionar sobre lo que he aprendido.			

Las actividades me permitieron	Sí	Poco	Nada
Interpretar información en distintos mapas.			
Comprender y utilizar la información contenida en el curso.			
Respetar la diversidad natural y cultural de mi entorno (mi país, el mundo).			
Hacer las cosas por mí mismo.			
Trabajar en equipo y en grupo.			

¿Qué sugerencias te gustaría hacer para mejorar tu libro? _____

_____

_____

_____

_____

¡Gracias por tu colaboración!

SEP

DIRECCIÓN GENERAL DE MATERIALES EDUCATIVOS

Dirección de Desarrollo e Innovación de Materiales Educativos
Viaducto Río de la Piedad 507, cuarto piso,
Granjas México, Iztacalco,
08400, México, D. F.

Datos generales

Entidad: _____

Escuela: _____

Turno:　　Matutino ☐　Vespertino ☐　Escuela de tiempo completo ☐

Nombre del alumno: _____

Domicilio del alumno: _____

Grado: _____